CB069097

CHRISTIAN LYNCH

PAULO HENRIQUE CASSIMIRO

# O POPULISMO REACIONÁRIO

1ª REIMPRESSÃO

CONTRACORRENTE

Copyright © EDITORA CONTRACORRENTE
Alameda Itu, 852 | 1º andar |
CEP 01421 002
www.loja-editoracontracorrente.com.br
contato@editoracontracorrente.com.br

**EDITORES**
Camila Almeida Janela Valim
Gustavo Marinho de Carvalho
Rafael Valim
Walfrido Warde
Silvio Almeida

**EQUIPE EDITORIAL**
COORDENAÇÃO DE PROJETO: Juliana Daglio
PREPARAÇÃO DE TEXTO E REVISÃO: Amanda Dorth
REVISÃO TÉCNICA: Douglas Magalhães
DIAGRAMAÇÃO: Pablo Madeira
CAPA: Maikon Nery

**EQUIPE DE APOIO**
Fabiana Celli
Carla Vasconcellos
Fernando Pereira
Valéria Pucci
Regina Gomes
Nathalia Oliveira

**Dados Internacionais de Catalogação na Publicação (CIP)**
**(Câmara Brasileira do Livro, SP, Brasil)**

Lynch, Christian
   O populismo reacionário : ascensão e legado do bolsonarismo / Christian Lynch & Paulo Henrique Cassimiro. -- São Paulo, SP : Editora Contracorrente, 2022.

   Bibliografia.
   ISBN 978-65-5396-021-3

   1. Bolsonaro, Jair Messias, 1955- 2. Brasil - Política e governo 3. Populismo - Brasil I. Cassimiro, Paulo Henrique. II. Título.

22-111748     CDD-324.213

**Índices para catálogo sistemático:**
1. Populismo : Ciências políticas 324.213
Eliete Marques da Silva - Bibliotecária - CRB-8/9380

@editoracontracorrente
Editora Contracorrente
@ContraEditora

*A Sociedade 10 de Dezembro foi a sua força armada partidária. Nas suas viagens, destacamentos dessa força, em vagões ferroviários abarrotados, tinham de improvisar-lhe público, exibir o entusiasmo público, berrar 'viva o Imperador', insultar e espancar os republicanos, contando obviamente com a proteção da polícia. (...) Tudo o mais de que se apropria lhe é entregue pela força da conjuntura, tudo o mais que ele faz é efetuado para ele pela correlação dos fatos ou ele se contenta em copiar os feitos dos outros; mas os seus discursos oficiais sobre ordem, religião, família e propriedade, proferidos publicamente diante dos cidadãos, são respaldados pela sociedade (...) da desordem, da prostituição e da roubalheira.*

O 18 de brumário de Luís Bonaparte

Karl Marx

# SUMÁRIO

INTRODUÇÃO - A ASCENSÃO DO POPULISMO REACIONÁRIO ... 10

CAPÍTULO I - A CRISE DA NOVA REPÚBLICA: ASCENSÃO, FASTÍGIO E DECLÍNIO DO JUDICIARISMO ... 30

CAPÍTULO II - O POPULISMO REACIONÁRIO NO PODER: UMA RADIOGRAFIA IDEOLÓGICA DA PRESIDÊNCIA BOLSONARO (2018-2021) ... 68

CAPÍTULO III - ESTRATÉGIA POLÍTICA E ORGANIZAÇÃO DO POPULISMO REACIONÁRIO NO PODER ... 114

CAPÍTULO IV - UMA REVOLUÇÃO REACIONÁRIA FRUSTRADA? ... 164

CONCLUSÃO - O PARADOXO DO PARASITA ... 186

REFERÊNCIAS BIBLIOGRÁFICAS ... 194

# INTRODUÇÃO

## A ASCENSÃO DO POPULISMO REACIONÁRIO

Em um célebre ensaio publicado na revista neoconservadora americana *The National Interest* em 1989, cujo tema era o fim da Guerra Fria, o cientista político Francis Fukuyama interrogava-se sobre a possibilidade de o mundo estar vivendo o que ele chamou de "o fim da história". No argumento de Fukuyama, o fim da Guerra Fria e a derrota do projeto expansionista do bloco soviético, cuja marca histórica definitiva fora a reunificação alemã, colocavam um ponto final na existência de alternativas políticas ao projeto liberal-democrático ocidental. Ao contrário dos usos vulgares que a expressão "o fim da história" receberia, a interpretação de Fukuyama não sugere que o mundo que surgia no final do século XX seria marcado por uma *pax americana*, ou por uma resolução definitiva dos conflitos políticos nacionais e internacionais. Fukuyama acreditava que a ascensão dos fundamentalismos religiosos e a preservação dos nacionalismos e dos conflitos étnicos seriam potenciais focos de conflito para os valores ocidentais. Contudo, longe de representar projetos alternativos de civilização para a hegemonia do ocidente, esses elementos de tensão seriam apenas fruto da permanência de formas sociais arcaicas em locais em que a democracia ainda estaria "incompleta".[1]

---

[1] FUKUYAMA, Francis. "The end of history?" *The National Interest*, nº 16, 1989.

A ideia de fim da história que Fukuyama popularizou não era invenção sua. Ele a retirou das aulas do filósofo russo Alexandre Koyève sobre a obra de Hegel, para quem a entrada de Napoleão na cidade alemã de Jena em 1806, após a derrota da Prússia pela França imperial, marcaria o fim da história. Bonaparte encarnava as ideias revolucionárias de universalização do Estado de Direito – um modelo político-institucional que plasmava os ideais de liberdade e igualdade em uma Constituição. Alcançar o fim da história exigiria, portanto, a conclusão das contradições históricas e a unificação ideológica do mundo em torno de valores comuns. A distância entre 1806 – o começo do fim da história – e 1989 – sua conclusão – cobriria a universalização dos princípios de uma sociedade secularizada e ordenada por um sistema de direitos, por modos políticos de representação e por relações econômicas de mercado que, em síntese, representariam o triunfo histórico da *ideologia liberal*.

Trinta e um anos depois da publicação de seu artigo "O fim da história?", Fukuyama participou de um debate com pesquisadores da Universidade de Stanford sobre a invasão do Capitólio no dia 6 de janeiro de 2021 por parte de apoiadores do então Presidente Donald Trump. Perguntado sobre as motivações dos invasores, Fukuyama afirmou que os trumpistas estavam convencidos da vitória de seu líder e de que a eleição havia sido objeto de uma fraude massiva. E concluía: "Nosso problema é que estamos vivendo em universos de informação paralelos".[2] Três décadas separam

---

[2] DE WITTE, Melissa; DRISCOLL, Sharon. "Stanford scholars react to Capitol Hill takeover". *Stanford News*, 06 jan. 2021. Disponível em: https://news.stanford.edu/2021/01/06/stanford-scholars-react-capitol-hill-takeover/. Acessado em: 06.06.2022.

o diagnóstico de Fukuyama do fim da história do reconhecimento de que universos paralelos de informação poderiam conviver no interior deste processo de unificação de visões de mundo, que ele havia diagnosticado como sendo o marco da vitória da ideologia liberal.

A ideia de universos paralelos de informação dificilmente poderia ser interpretada, como fizera Fukuyama com os fundamentalismos religiosos e nacionalismos étnicos, como resultado da sobrevivência de elementos de uma sociedade pré-liberal. Os homens e mulheres que invadiram a sede do Congresso americano eram cidadãos da maior democracia liberal do mundo, educados em um sistema de valores em que predomina a ideia da liberdade individual, da livre iniciativa, da cidadania política e de relações econômicas capitalistas, em que o trabalho e o lucro prevalecem sobre formas arcaicas de produção da riqueza. Restaria, assim, levantar uma segunda possibilidade: o mundo em que vivemos hoje testemunharia o ressurgimento de novas fissuras no projeto ideológico das democracias liberais que, se podem eventualmente guardar semelhanças com aqueles que antecederam à hegemonia liberal, são parte de um processo de crise política e social de proporções inéditas.

As novas manifestações contra os valores da democracia liberal estão ancoradas na ideia de que a representação política tradicional não consegue expressar a vontade popular. A democracia liberal representaria o povo como um conjunto desagregado de indivíduos, cujos interesses seriam capturados por elites oportunistas, capazes de operar os mecanismos de representação para se perpetuarem no poder. A representação verdadeira exigiria, ao contrário, uma reaproximação com a identidade autêntica do povo, impondo a eliminação das distorções produzidas pelos agentes dos interesses das elites, tais como a imprensa, o lobby econômico, o corporativismo da classe política, as organizações da sociedade civil, os partidos tradicionais etc.

Essa forma de representação que recusa as instituições e os atores que se interpõem entre o povo e o representante é aquilo que chamamos de *populismo*. Como todos os conceitos básicos de política, "populismo" é um conceito polissêmico, cujos sentidos são disputados pelos grupos em confronto e apreciados de forma positiva ou negativa, conforme as ideologias e circunstâncias. Nos últimos tempos, "populismo" tem sido empregado para designar a Venezuela de Chávez/ Maduro; a Hungria de Orbán; as Filipinas de Duterte; os Estados Unidos de Trump; os espanhóis do Podemos; os italianos do Movimento 5 Stelle; a França Insubmissa de Jean-Luc Mélenchon, mas também, no outro extremo, os seguidores de Marine Le Pen, de Matteo Salvini na Itália ou de Nigel Farage na Grã-Bretanha. Uma vez que compreender é distinguir, fugindo das simplificações e falsas equivalências, os conceitos só têm serventia analítica se empregados fora da chave puramente ideológica, ou seja, sem o simples objetivo de estigmatizar adversários ou legitimar a velha pretensão à superioridade dos poderosos e dos instruídos sobre as classes populares, cujo comportamento seria marcado sempre pela irracionalidade.

Neste livro, acreditamos ser possível empregar o conceito de "populismo" de modo mais objetivo. Em primeiro lugar, porque ele está na boca de todos, utilizado para qualificar uma dimensão do ciclo político aberto desde a crise do liberalismo democrático, ocasionada pela ressaca da globalização iniciada na década de 1980. Globalização ferida desde os atentados de 11 de setembro de 2001 e que recebeu seu golpe de misericórdia na grave crise econômica de 2008, expondo de forma inquestionável o atual estado econômico de boa parte do mundo ocidental: baixo crescimento, elevada desigualdade com maior concentração de renda e um crescente endividamento geral dos Estados.[3] Nesse contexto de reação aos efeitos da globalização, o conceito de populismo tem sido encarado de forma diversa. Alguns veem no fenômeno a possibilidade de revitalização do projeto democrático pelo despertar mais ativo da soberania do povo, ao passo que outros, ao contrário, veem no populismo a principal ameaça a essa mesma democracia. Além disso, o conceito passou a ser reivindicado por muitos dos próprios partidários do "populismo", seja por parte da esquerda ou da direita, na academia e fora dela. Por todas essas razões, convém não fugir do conceito, mas enfrentá-lo de forma minimamente objetiva, deixando claro o que se pretende afirmar ou examinar por meio dele.

Por "populismo" designaremos *um estilo de fazer política típico de ambientes democráticos ou de massa, praticado por uma liderança carismática, que reivindica a representação de uma maioria contra o restante da sociedade.* Sua legitimidade reside na crença de que a competição eleitoral não visa a criar um consenso, mas *revelar* a maioria autêntica através de seu intérprete virtuoso, o líder carismático. Esse modelo populista de representação recorre a discursos baseados preferencialmente na linguagem dos afetos ou nas paixões, apelando a um "povo" concebido como

---

[3] STREEK, Wolfgang. *Tempo Comprado*: a crise adiada do capitalismo democrático. São Paulo: Boitempo, 2018.

um singular coletivo, não fictício e formado por indivíduos diferentes, mas como uma entidade homogênea dotada de vontade própria. O povo é considerado um agregado social homogêneo e exclusivo depositário de valores positivos, específicos e permanentes.[4] Os populistas se apresentam como intérpretes privilegiados dessa vontade, boa e infalível do povo, que viria, entretanto, sendo negligenciada ou impedida na democracia liberal por uma minoria ou elite, que à sua revelia ou contra a sua vontade, monopolizaria os recursos políticos, sociais e econômicos de poder.

O populismo é a manifestação contemporânea daquilo que o historiador e cientista político francês Pierre Rosanvallon chama de "representação encarnação".[5] Trata-se, para o populista, de fabricar uma imagem do povo representado como um corpo homogêneo e com uma vontade única, que só pode existir por meio de um único representante que sintetize seus valores. Nega-se assim a ideia democrática de representação como competitividade de visões de mundo plurais. Mais do que isso, o populismo compartilha de uma velha crítica à democracia liberal – presente tanto na esquerda quando na direita – segundo a qual o pluralismo mascara a dominação dos interesses dos grupos dominantes, buscando a restauração do vínculo democrático através de uma reconciliação entre o povo e seu líder. As manifestações históricas desse tipo de representação encarnação são

---

[4] ROSANVALLON, Pierre. *O século do populismo*. Rio de Janeiro: Ateliê de Humanidades, 2021.

[5] ROSANVALLON, Pierre. *O século do populismo*. Rio de Janeiro: Ateliê de Humanidades, 2021; ROSANVALLON, Pierre. *La Democratie Inachevée*: histoire de la souveraneité du peuple en France. Paris: Gallimard, 2007.

várias, como o jacobinismo durante a Revolução Francesa, o bonapartismo durante o século XIX ou o fascismo durante a primeira metade do século XX.

Como estilo de fazer política, *o populismo está baseado em três características: o apelo "ao povo" contra "a elite", "o politicamente incorreto" e a percepção de que existiria no mundo um risco de ruptura ou uma ameaça iminente.*[6] A primeira característica evoca o conflito entre a autenticidade dos interesses do povo contra os representantes das elites políticas encastelados nas instituições. No segundo caso, o apelo ao politicamente incorreto seria uma expressão performática de um retorno ao senso comum contra o comportamento rígido, racional, tecnocrático e falsamente bem composto que marcariam as elites políticas tradicionais. O terceiro elemento remete ao uso retórico de um perigo iminente, materializado pela imigração estrangeira, pelas dificuldades econômicas, pelas injustiças, pelas ameaças externas, pelo risco da mudança social e de valores identitários. Perigo que exigiria medidas excepcionais de salvação pública, mas que as elites ou o próprio sistema político ou não seriam capazes de enfrentar, ou instrumentalizariam em benefício próprio.

*Do ponto de vista ideológico, o populismo é de esquerda ou de direita.* O populismo é *de esquerda* quando, orientado pelo imperativo de redução das desigualdades, descreve o "povo" como o conjunto de trabalhadores explorados por uma minoria de capitalistas, que dirigiriam o Estado conforme

---

[6] MOFFITT, Benjamin. *The global rise of populism*: performance, political style and representation. Stanford: Stanford University Press, 2016.

seus interesses exclusivos. No Brasil, foram expressivos desse populismo lideranças como Getúlio Vargas, João Goulart e Lula da Silva. Mais recentemente, a *nova esquerda* tem privilegiado a necessidade de reduzir desigualdades para além daquelas resultantes da visão tradicional sobre a divisão do trabalho. A agenda do reconhecimento combate assim a hegemonia dos costumes impostos por concepções de poder social etnocêntricas, baseadas no patriarcado, na heteronormatividade ou na branquitude. O populismo é *de direita*, por sua vez, quando, orientado pelo imperativo de preservação da ordem pelo recurso à autoridade, descreve o "povo" como um conjunto de empresários e famílias ameaçados em sua moral tradicional por uma minoria de subversivos que ataca a propriedade privada e atenta contra os bons costumes. Também no Brasil, foram expressivos desse tipo de liderança políticos como Jânio Quadros, Carlos Lacerda e Fernando Collor. Nos últimos tempos, como reação à nova esquerda, a *nova direita* tem salientado em especial o combate à agenda identitária, defendendo a ordem cultural tradicional, valorizando principalmente os atributos de masculinidade ou virilidade no âmbito familiar.

Mas *o populismo também pode ser moderado* ou *radical* no que toca à sua intensidade e métodos de ação. Na *modalidade moderada*, o populismo não confronta a democracia e pode mesmo fortalecê-la. A experiência histórica demonstra que, em sociedades em processo de democratização, o estilo populista frequentemente desempenha papeis positivos quando rompe o padrão oligárquico da política e favorece a ampliação do espaço público e da participação. O populismo varguista na década de 1950 pode ser enquadrado nessa categoria: apostava na ampliação da cidadania, e não na ruptura com o Estado de Direito. O apelo aos afetos por parte do populismo moderado também pode servir à mobilização política por democratização em épocas de crise da representação política tradicional. Já a *modalidade radical* de populismo, ao contrário, desafia o Estado de Direito em nome de uma possível democracia iliberal,[7] apresentada como encarnada exclusivamente na figura do líder carismático. É o próprio Estado de Direito que é reduzido retoricamente pelo populista radical a um simples ardil, por meio do qual uma minoria – o *establishment* – burla ou viola a democracia, em detrimento da vontade do povo, para perpetuar um sistema injusto, porque explorador ou corrompido. Uma vez que as limitações constitucionais à democracia serviriam apenas para perpetuar o *establishment*, invoca-se a necessidade de destruí-las por medidas excepcionais ou por uma estratégia deliberada de desmoralização para que "o povo" vença afinal.

O *populista radical* se apresenta assim como um herói antissistema. Por isso, ele está menos preocupado em governar o país forjando consensos em torno de projetos institucionais do que em explorar, por via da polarização, o mal-estar gerado por aqueles problemas que tornaram possível sua projeção na cena política. Cria deliberadamente conflitos para jogar uma parte do país, "o povo", contra seus inimigos, acusado de ser uma espécie de "antipovo", composto por todos aqueles cidadãos que não se identificam com a ideia de povo veiculada pelo populista, limitada e restrita do ponto de vista histórico, territorial ou cultural. Ações ordinárias ou divergências naturais em um ambiente

---

[7] MÜLLER, Jan-Werner. *What is populism?* Filadefia: University of Pennsylvania Press, 2016.

democrático são transformadas em ameaças à soberania daquele "povo autêntico". As falsas polêmicas ou notícias criadas pelo populista radical buscam consolidar a percepção de que a vontade popular é permanentemente confrontada pela oligarquia encarnada pelo *establishment*, a fim de que o líder carismático saia todos os dias heroicamente em sua defesa. Em um contexto de crise de legitimidade das democracias liberais, defeitos e vícios de líderes populistas passaram a ser percebidos como indícios de que não pertenceriam ao corrompido "sistema" que lhes inspira repugnância. Sua incompetência gerencial emerge como garantia de autenticidade, revelando a proximidade do líder com o eleitor simples, também inexperto das coisas políticas. Para obter engajamento digital, as mentiras – referidas geralmente pelo eufemismo de *fake news* – são propositadamente produzidas e emitidas em linguagem chula, sempre sob a marca da urgência, do deboche e da violência.

 Da necessidade de defender sua livre circulação contra o controle tradicionalmente exercido pelas instituições sobre os canais de comunicação, os populistas reacionários reivindicam um direito irrestrito à liberdade de expressão contra o suposto totalitarismo do "sistema".[8] A internet seria, nessa perspectiva, o último território de liberdade a ser defendido e a cabeça de ponte para a reconquista do poder pelo povo. Daí por que um autocrata como Victor Orbán tenha afirmado serem hoje os reacionários os verdadeiros defensores da liberdade. Eles defenderiam o direito do povo falar na sua própria linguagem, que poderia ser grosseira,

---

[8] EMPOLI, Giuliano da. *Os engenheiros do caos.* Trad. de Arnaldo Bloch. 1ª ed. São Paulo: Vestígio, 2019, p. 13.

mas autêntica. O politicamente correto, por sua vez, não passava de uma mania de cosmopolitas artificiais e afetados: "O liberalismo hoje não sustenta mais a liberdade, mas o politicamente correto, que é o contrário da liberdade".[9] Em síntese, o populista radical não é um médico que quer curar a doença de que a democracia padece. É um parasita que se aproveita da doença para explorá-la, multiplicando o mal-estar coletivo para apresentar-se como seu salvador, e sustentar no poder seu grupo político – composto geralmente de arrivistas e oportunistas tais como ele próprio, prontos a explorar o "sistema" que dizem combater.

É do *populismo radical de direita* que este livro trata. Populismo que resiste ao avanço da igualdade social em nome de um culturalismo supostamente representativo do "povo verdadeiro", que justificaria a manutenção ou restauração de uma ordem caracterizada pela hierarquia no âmbito do trabalho e da vida privada. Essa ideia reacionária de "restauração da ordem" organiza o mundo entre bons nacionalistas conservadores (o "povo") e maus cosmopolitas e progressistas (o "antipovo"), e prega uma cruzada apocalíptica para a salvação de uma "civilização judaico-cristã ocidental". Civilização esta entendida como coletividade de famílias organizadas em nações culturalmente definidas, mais ou menos independentes do Estado e amalgamadas pelo cristianismo.

Embora os intelectuais reacionários sustentem que a "decadência da civilização" dataria do antropocentrismo renascentista, do individualismo protestante ou do racionalismo iluminista, a partir da década de 1960 ela teria se

---

[9] SCHEPPELE, Kim Lane. "Autocratic legalism". *The University of Chicago Law Review*, vol. 85, 2017, p. 567.

acelerado. O agente acelerador daquele declínio seria o "novo comunismo" criado pela "nova esquerda", caracterizada pela oposição à dominação racial, política e patriarcal, além da exploração econômica; pela defesa de uma liberdade reconstrutora de uma "nova humanidade"; pela extensão do processo democrático e pela efetividade dos direitos individuais; pela mobilização de setores "subalternos" para além dos trabalhadores; e, por fim, pela ênfase na ação direta, ou seja, na confrontação nem sempre pacífica.[10] De posse dos aparelhos de Estado e dos meios de comunicação, o "comunismo cultural" viria supostamente estimulando o ateísmo, a homossexualidade, o ódio racial e de gênero, sem falar no aborto. A direita radical contemporânea, que flerta com a extrema-direita neofascista a ponto de frequentemente com ela se confundir,[11] se considera uma reação legítima ao avanço da "nova esquerda". Apresenta-se como uma cruzada em defesa daquela "civilização ocidental" contra uma elite cosmopolita e progressista. O "povo" deveria ter o direito natural de portar armas e se organizar em milícias para proteger sua "liberdade" contra essa "ditadura comunista" imposta do alto por um Estado controlado pelo *establishment* esquerdista. Assim como de falar chulo, em contraposição ao politicamente correto da esquerda.

    Mas o que significa exatamente ser "reacionário"? Como uma ideologia reacionária se diferiria de outras ideologias de direita, como o conservadorismo, por exemplo? A

---

[10] SOUSA, Rodrigo Farias de. *A nova esquerda americana*: de Port Huron aos Weathermen (1960-1969). Rio de Janeiro: FGV, 2009.

[11] MUDDE, Cas. *The far-right today*. Cambridge: Polity Press, 2019.

palavra reação remete de imediato à oposição a algum tipo de processo evolutivo ou transformador no interior de uma sociedade. Em termos políticos, ela pode se referir a ideologias, movimentos e lideranças que buscam fazer regredir processos de democratização, liberalização e secularização que marcaram a modernidade. Não à toa os intelectuais reacionários datam o início da "crise" do mundo moderno da Reforma Protestante, quando a interpretação dos textos sagrados se torna independente das autoridades religiosas estabelecidas criando, em sua visão, o "indivíduo moderno". Em termos históricos, o reacionarismo data, sobretudo, dos esforços contrarrevolucionários durante e após a Revolução Francesa. Naquele contexto, o objetivo maior do reacionarismo era o de restabelecer a monarquia católica na França e preservar, no restante da Europa continental, as demais cabeças coroadas colocadas em risco. Tornou-se célebre a frase do filósofo reacionário saboiano Joseph de Maistre, que afirmava ser a contrarrevolução não apenas a negação da Revolução de 1789, mas uma ação política que faria o contrário da revolução. Ou seja, não se tratava apenas de interromper o processo revolucionário, mas de restaurar uma sociedade hierárquica, católica, de vocação medieval, cujo topo seria ocupado não pelos monarcas, mas pelo papa, como árbitro de todas as monarquias.

Nesse sentido, o reacionarismo se distingue do conservadorismo tradicional por sua radicalização. No conservadorismo, a sociedade deve preservar suas instituições e valores fundamentais, de modo que, se a mudança social for inevitável, ela deve ser produzida e conduzida "dentro da ordem", preservando as instituições e evitando rupturas. Já o horizonte do reacionarismo aponta para a possibilidade de *regeneração* de uma ordem perdida por meio de uma aceleração da ruptura com a ordem vigente, capaz de reconstruir no futuro uma sociedade equivalente àquela perdida no passado. Assim, ao contrário do conservadorismo, o reacionarismo não pode agir no interior das instituições estabelecidas: mesmo que reacionários participem do jogo eleitoral, seu horizonte de ação tem que ser, constantemente, a negação da ordem vigente e a promessa de sua superação por um modelo fiel à ordem política legítima, injustamente destruída por "revolucionários" imaginários ou reais – tanto liberais como socialistas. Por essa razão, reacionários frequentemente se viram parte de uma "revolução conservadora",[12] ou seja, defensores de um processo de ruptura com o objetivo de restaurar uma mítica ordem perdida, uma "utopia regressiva" cujo ideal está no passado.

Reacionários são tão radicais quanto os revolucionários e sujeitos às mesmas crenças milenaristas. A única diferença é que, enquanto o milenarismo da esquerda repousa nas expectativas de uma redentora nova ordem social composta de homens reformados conforme princípios igualitários, o milenarismo da direita é alimentado pela sensação de decadência e temores apocalípticos de uma nova era de trevas. Suas narrativas começam com a fantasia de uma comunidade feliz e bem ordenada, onde famílias viviam em harmonia, tementes a Deus e à tradição, até o dia em que escritores, jornalistas e professores desafiaram a boa e velha ordem, enfraquecendo-a do alto pela difusão de ideias estranhas. Elites cosmopolitas teriam traído os ideais tradicionais da

---

[12] CASSIMIRO, Paulo Henrique Paschoeto. "A Revolução conservadora no Brasil. Nacionalismo, autoritarismo e fascismo no Pensamento Político Brasileiro dos anos 30". *Revista Política Hoje*, vol. 27, 2018.

comunidade, ameaçando destruir sua identidade cultural. Apenas aqueles que tivessem guardado os antigos valores e a lembrança dos bons dias poderiam se aperceber da decadência moral e reagir, denunciando e comandando a resistência.[13]

A novidade dos reacionários de hoje está assim antes nos meios que na substância. Para ampliar sua influência para além da minoria reacionária de outros tempos, formada por uma alta roda de católicos ultramontanos, a direita radical contemporânea se atualizou. Ampliou seu público-alvo para o conjunto dos cristãos, não importa se católicos, protestantes ou ortodoxos. Para ganhar sua coloração "populista", adotou técnicas de mobilização e de radicalização adaptadas do fascismo. A máquina de propaganda substituiu o rádio e o cinema, por uma onipresente rede de comunicação digital. Permaneceu, porém, o método básico de apelo ao irracionalismo e aos sentimentos primitivos, através da difusão de mentiras ou falsas notícias baseadas em teorias da conspiração. Seu objetivo continua sendo o de instilar na comunidade a paranoia contra inimigos imaginários, a fim de mobilizá-los em apoio ao seu líder protetor e justificar o emprego da violência a pretexto de legítima defesa contra supostos agressores, geralmente vítimas de campanhas difamatórias.

O conceito reacionário de "liberdade" remete à defesa da autonomia daquelas famílias cristãs contra a ação do Estado, criticado por pretender intervir, regular e modificar aquela organização natural, típica do corporativismo organicista medieval ou pré-estatal. Esse ideal

---

[13] LILLA, Mark. *The Shipwrecked Min*: on political reaction. Nova York: NYRB, 2016, pp. XII-XIII.

reacionário elaborado contra o liberalismo da Revolução francesa, expresso por pensadores como De Maistre, De Bonald e Donoso Cortés, foi reciclado um século depois, no contexto europeu de crise do liberalismo e de emergência da sociedade de massas das décadas de 1920 e 1930, por autores como Carl Schmitt, Julius Evola e René Guénon, e ganhando forma política no fascismo italiano e suas variantes em toda a Europa, em especial na Alemanha. Na última década (2010-2020), marcada por uma nova crise do liberalismo, em um contexto democrático já mais sedimentado, todavia, coube principalmente a Steve Bannon desenvolver nos Estados Unidos a fórmula de um "fascismo troll", que adaptou da Itália moderna antigas técnicas reacionárias e fascistas para um mundo de base digital. Foram elas que, devidamente adaptadas por Olavo de Carvalho no Brasil, serviram aos Bolsonaro e seus seguidores como o modelo de cultura política autoritária a ser difundido e enraizado em seu benefício e de sua família.[14]

No Brasil, manifestações do pensamento reacionário foram quase sempre minoritárias ou de menor expressão política. Vivendo constantemente sob o signo da necessidade de modernização econômica, social e política, as principais manifestações das ideologias de direita no Brasil oscilaram principalmente entre um conservadorismo estatista,

---

14 Um dos filhos do Presidente, Eduardo, representa a família junto a "O movimento", grupo fundado por Bannon para fazer as vezes de uma "Internacional populista" de extrema-direita, que adquire contornos de verdadeira Internacional Fascista ou Neofascista. Bannon deu assessoria informal à campanha de Jair Bolsonaro em 2018. Ver: TEITELBAUM, Benjamin. *Guerra pela eternidade*: o retorno do tradicionalismo e a ascensão da direita populista. Trad. de Cíntia Costa. Campinas: Unicamp, 2020.

que acredita na precedência do Estado como agente de organização e modernização da sociedade (de que foram representantes autores e políticos como José Bonifácio, Bernardo Pereira de Vasconcelos, o visconde do Uruguai, Alberto Torres, Oliveira Vianna e Getúlio Vargas), e o neoliberalismo ou libertarianismo econômico, que coloca a ênfase na necessidade de livre desenvolvimento das forças de mercado (de que foram representantes Alberto e Campos Sales, Joaquim Murtinho e Eugênio Gudin). Uma terceira via, o conservadorismo societário ou culturalista, apologista, em sua versão moderada, das especificidades de nossa formação social e cultural, como a mestiçagem ou a sociedade patriarcal (de autores e políticos como José de Alencar, Gilberto Freyre e Almir de Andrade), nem sempre se traduziu numa ideologia política clara, sendo mesmo capaz de compor, como no período Vargas, com elementos ideológicos fortemente estatistas. A versão radical daquele conservadorismo, na sua forma reacionária católica integrista (de autores como Brás Florentino, Candido Mendes, Jackson de Figueiredo e Tristão de Ataíde), conseguiu ainda menos espaço como política pública, limitando-se a exercer influência no campo da educação.

Contudo, influenciado pelo fascismo italiano, português e alemão (nazismo), parte do conservadorismo societário ou culturalista flertou abertamente na década de 1930 com ideologias radicalmente reacionárias. O integralismo, movimento fundado e liderado por Plínio Salgado, Miguel Reale e Gustavo Barroso, reuniu diversos elementos em seu imaginário político. Do fascismo europeu, ele assimilou a defesa de uma liderança forte, capaz de organizar um partido de massas disciplinado por um conjunto de práticas rituais: o uniforme, os símbolos, a saudação ao líder, entre outros. Ao mesmo tempo, os intelectuais do movimento ofereceram ao integralismo um conteúdo propriamente nacional: a apologia reacionária das raízes católicas do nosso povo e de um passado heroico de conquista da terra pelos bandeirantes e submissão dos elementos bárbaros – indígenas e negros – presentes na sociedade colonial.[15] O imaginário integralista também conviveu com outras expressões de reacionarismo no Brasil, como os monarquistas chamados *patrianovistas*, que acreditavam na possibilidade de restauração de uma monarquia regeneradora de nossas raízes católicas e tradicionais – bem diferente da experiência histórica da monarquia constitucional brasileira no século XIX, liberal e parlamentarista.[16] Parte significativa do laicato católico também via no integralismo uma ideologia capaz de reunir politicamente os católicos, caso se submetesse à doutrina da Igreja.

A preservação desse imaginário ideológico reacionário radical tem claras consequências no contexto político contemporâneo e impacto na Administração Pública, na qual discípulos e simpatizantes dessa visão de mundo tentaram traduzir seus valores em termos de políticas públicas. Os próximos capítulos deste livro pretendem aprofundar a discussão desse e de outros temas e oferecer uma radiografia do populismo reacionário no poder no país durante a presidência de Jair Bolsonaro. Trata-se de descrever como elementos ideológicos diversos da cultura política

---

[15] GONÇALVES, Leandro Pereira; CALDEIRA NETO, Odilon. *O fascismo em camisas verdes*: do integralismo ao neointegralismo. Rio de Janeiro: FGV, 2020.

[16] MALATIAN, Teresa. *Império e missão*: um novo monarquismo brasileiro. 1ª ed. São Paulo: Companhia Editora Nacional, 2001.

brasileira e mundial foram reunidos e como o populismo reacionário contemporâneo assumiu aqui uma feição bem definida. Se, como vimos, o reacionarismo é marcado por uma defesa da precedência da autoridade tradicional sobre a liberdade e a transformação social, aqui a ideia de uma ordem política corrompida, emancipada de suas raízes tradicionais, foi identificada com o Estado surgido após o processo de redemocratização de 1985. Esse Estado seria o instrumento de ideologias revolucionárias e destruidoras de uma "ordem conservadora". Em contraste, ressurgiu na última década o ideal regressista do Estado autoritário de 1964, supostamente capaz de coordenar autoridade, hierarquia, disciplina social e desenvolvimento econômico. As raízes dessa ordem conservadora teriam permanecido no povo cristão, cultivador da família e das tradições. Seria a partir da escolha de um representante autêntico dessas qualidades do povo brasileiro – o Presidente Bolsonaro – que a reação conservadora deveria começar. Contudo, antes de compreendermos como o populismo reacionário se organiza no governo Bolsonaro, é preciso entender em que condições políticas e institucionais ele pôde florescer.

# CAPÍTULO I

## A CRISE DA NOVA REPÚBLICA: ASCENSÃO, FASTÍGIO E DECLÍNIO DO JUDICIARISMO

Este capítulo examina a construção ideológica do discurso que serviu de base para esse processo, que chamaremos aqui de *revolução judiciarista*.[17] Iniciada na academia jurídica na década de 1990 como um fenômeno doutrinário-ideológico, essa "revolução" evoluiu na década seguinte para legitimar a judicialização da política e a atuação política dos operadores jurídicos. Expressão suprema do processo de desprestígio da política profissional, as jornadas de 2013 potencializaram a transformação da "revolução judiciarista", oferecendo uma oportunidade política para que o Judiciário fosse projetado como um agente capaz de "regenerar" as estruturas político-partidárias corrompidas. Uma vez que o governo Dilma e a classe política não foram capazes de dar resposta à frustração da população ali manifestada, a "revolução" ganhou corpo através das ações da Operação Lava Jato, apoiadas pela Procuradoria Geral da República liderada por Rodrigo Janot com a chancela do Supremo Tribunal Federal. O ativismo judiciário, ou judiciarismo, expresso pela Lava Jato, passou a representar, aos olhos da população frustrada, uma resposta para promover a renovação das práticas políticas – resposta que, por óbvio,

---

[17] LYNCH, Christian. "Ascensão, fastígio e declínio da 'revolução judiciarista'". *Revista Insight Inteligência*, ano XX, nº 79, out./nov./dez. 2017.

projetou os próprios juízes e promotores como novos atores políticos, na medida mesma em que "cassavam" políticos profissionais acusados de corrupção.

### Estabilidade e crise da Nova República

A Nova República surgida em 1985 beneficiou-se de um ciclo longo de ideologia progressista e cosmopolita. Ele começou na esteira da última onda de globalização que, iniciada a partir da segunda metade da década de 1970, encontrou seu ápice por volta de 1990. Findo o regime militar, seguiu-se a reorganização do sistema constitucional e a emergência de um modelo de governabilidade denominado "presidencialismo de coalizão", que estabilizou as relações entre Executivo e Legislativo.[18] O PT e o PSDB foram as duas principais "novidades" do sistema político durante o processo de redemocratização na segunda metade da década de 1980. A despeito de suas diferenças, os dois partidos disputavam projetos de um futuro moderno para o Brasil. De um lado, um partido de esquerda com vínculos com movimentos sociais e sindicatos, que propunha modernizar as relações entre Estado, capital e trabalho no Brasil; de outro, um partido liberal e progressista, disposto a reformar o Estado e abrir a economia para o mercado global. Ambos se baseavam ideologicamente em críticas às orientações que haviam balizado o sistema partidário da Terceira República (1946-1985). O PT prometia superar, à esquerda, o atraso do "populismo" atribuído ao antigo

---

[18] ABRANCHES, Sérgio. *Presidencialismo de coalizão*: raízes e evolução do modelo político brasileiro. São Paulo: Companhia das Letras, 2018.

PTB em matéria de social-democracia; já o PSDB prometia superar o "patrimonialismo" atribuído ao antigo PSD em matéria de liberalismo. No meio dos dois, o PMDB, antigo "fiador" da redemocratização, mas carente de lideranças, parecia cada vez menos capaz de protagonizar uma eleição majoritária nacional. A vitória de Collor em 1989 não destruiu a promessa de um sistema político-partidário estável e moderno. Candidato derrotado a Presidente da República pelo PSDB, Mário Covas declarou o apoio a Lula no segundo turno; com a derrota do candidato petista, PMDB, PSDB e PT comandaram a oposição e o *impeachment* de Collor no Congresso Nacional.

O movimento dos dois anos posteriores mudaria os rumos do sistema político. Ao contrário dos demais partidos de centro-esquerda como PPS, PSB e PDT, o PT se recusou a participar da coalizão de apoio do governo Itamar Franco. A deserção da antiga frente que bancara o *impeachment* tinha como objetivo catalisar à esquerda as insatisfações dos trabalhadores com as reformas e a poupar a nova candidatura Lula dos custos de um governo em crise.[19] Com o sucesso do Plano Real, o PSDB escolheu Fernando Henrique Cardoso como candidato para enfrentar Lula. O PMDB preferiu como candidato Orestes Quércia, adversário histórico dos tucanos paulistas. Enquanto a candidatura do PT contava com uma ampla coalizão de centro-esquerda, os tucanos selaram aliança com PFL e PTB, dois dos principais representantes do "atraso" da política brasileira. Estabeleceu-se então o

---

[19] SALLUM JUNIOR, Brasílio. *O Impeachment de Fernando Collor*: Sociologia de uma crise. São Paulo: Editora 34, 2015.

padrão das coalizões partidárias que vigoraria no Brasil nos vinte anos seguintes: uma "cabeça de chapa" com visibilidade nacional e agenda política, e um conjunto de partidos fisiológicos sem identidade ideológica forte, mas com grandes bancadas no Congresso, sem os quais não seria possível angariar maioria parlamentar. A vitória maiúscula de FHC contra Lula daria força ao novo Presidente para atrair outros partidos de centro e direita, como o PMDB o PP e o PL. A maioria congressual garantiria a governabilidade dos dois mandatos tucanos e – à exceção do PFL/DEM – seria mantida como base dos governos Lula e Dilma. O equilíbrio no sistema político permitiu a sucessão de duas situações políticas estáveis, a primeira liberal – os dois governos Fernando Henrique Cardoso (1994-2002) – e a segunda social-democrata – os governos Lula e Dilma Rousseff (2002-2016).[20]

Mas a degeneração qualitativa do presidencialismo de coalizão, provocada pelos escândalos de corrupção, já era considerável por volta de 2010. A longa situação política petista também já estava "gasta" dois anos depois. As jornadas de 2013 foram a expressão pública da sensação generalizada de insatisfação que terminou de explodir com a crise econômica do ano seguinte. Para complicar a situação, depois de 30 anos, o conservadorismo político retornou com força, potencializado por dois motivos. Em primeiro lugar, no plano externo, devido à crise da globalização e ao fim do ciclo cosmopolita, ferido desde os ataques às Torres

---

20 FIGUEIREDO, Argelina; SANTOS, Fabiano. "Estudos Legislativos no Brasil". *In*: AVRITZER, Leonardo; MILANI, Carlos; BRAGA, Maria do Socorro. *A ciência política no Brasil*: 1960-2015. Rio de Janeiro: FGV, 2015.

Gêmeas (2001) e enterrado pelas sucessivas crises financeiras desde 2008. A ressaca da globalização abriu em diversos países ciclos conservadores, inclusive de tipo autoritário. Em segundo lugar, no plano interno, pela sobreposição de duas crises: a do modelo de governabilidade, aprofundada pelos sucessivos escândalos de corrupção, e a da situação social-democrata, que ganhou sobrevida formal, apesar de substantivamente exaurida. Os conservadores puderam se apresentar, portanto, como uma novidade de caráter antissistema, aproveitando a crise econômica para associar a degeneração das relações entre as instituições em razão dos casos de corrupção à longa situação de considerável estabilidade política do presidencialismo de coalizão. Formou-se assim no início de 2015 uma vasta coalizão de oposição de liberais e conservadores. Diante da incapacidade de autorreforma do sistema político, emergiu, dentro do Poder Judiciário e do Ministério Público, uma "vanguarda" de juízes federais e procuradores disposta a derrubar a situação petista, aproveitando a investigação contra a corrupção.

Esse "judiciarismo" de índole liberal e retórica republicana (o "lavajatismo") se legitimou como uma forma "democrática" de regenerar a República pela aplicação destemida da lei por um grupo de patrióticos operadores jurídicos. Materializada pela Operação Lava Jato, a ideologia judiciarista – versão jurídica do liberalismo político –, deslocou definitivamente as expectativas políticas para a direita. O resultado foi a mudança da situação política de social-democrata para liberal conservadora, operada a fórceps pelo *impeachment* de Dilma Rousseff em 2016. *Impeachment* que, embora não tenha sido formalmente um golpe, acabou na prática funcionando como se o fosse, porque o objetivo de retirar do cargo a Presidenta da República

– com a anuência e colaboração de seu vice – antecedeu ao exame jurídico e político das acusações que o justificaram.[21]

## Uma revolução judiciarista: o tenentismo togado

O terremoto político começou nas chamadas jornadas de 2013 que, tendo por estopim a insatisfação com a má qualidade dos serviços públicos e os gastos do governo federal com a Copa do Mundo que seria realizada no ano seguinte, mobilizaram milhões de pessoas em todo o país. As jornadas cristalizaram uma percepção difusa de ilegitimidade do sistema político que datava de pelo menos uma década. Iniciada pouco depois, a Operação Lava Jato serviu aos insatisfeitos para confirmar o alegado apodrecimento do sistema, dando rostos visíveis aos agentes judiciários empenhados em liderar o processo de sua regeneração, através do combate aos corruptos e seu expurgo da política. O ressurgimento de um conservadorismo de tipo reacionário; a sensação de exaurimento da situação petista; o descrédito de Dilma provocado pelo reconhecimento, na noite da vitória, de que viria pela frente a pior crise econômica da história – fato por ela negado até a véspera – criaram um vácuo de legitimidade política que sacudiu os alicerces de instituições que, até a véspera, se julgavam de grande estabilidade.

Na tentativa de tornar legíveis os embaralhados e dramáticos acontecimentos, os diferentes segmentos do espectro político-ideológico mobilizaram categorias e esquemas

---

21  SANTOS, Wanderley Guilherme. *A Democracia impedida*: o Brasil no século XXI. Rio de Janeiro: FGV, 2017; AVRITZER, Leonardo. *O pêndulo da democracia*. São Paulo: Todavia, 2019.

teóricos extraídos de suas tradições intelectuais, à luz de seus respectivos imaginários históricos. Para a parte hegemônica da esquerda, especialmente a que se via apeada do poder por um *impeachment* percebido como golpe, o Brasil estaria experimentando uma *contrarrevolução* no sentido clássico do discurso de esquerda. Entende-se aí, que a *revolução* teria sido aquela promovida ao longo dos treze anos de governos petistas, cujos importantes avanços no sentido igualitário teriam suscitado a reação golpista dos setores conservadores. Essa leitura do turbulento processo político como uma *contrarrevolução* foi endossada pelos setores conservadores reacionários, comprometidos com a defesa dos valores tradicionais atingidos por aquelas políticas. A diferença entre as duas leituras reside no fato de que a categoria de contrarrevolução é lida por tais conservadores como algo positivo e desejável. Ela seria uma saudável reação do bom senso contra o radicalismo que, artificialmente mobilizado por uma minoria, estaria subvertendo a boa e velha ordem. Por aí se entende a centralidade do golpe de 1964 no imaginário histórico de ambos os segmentos, que leram os acontecimentos na chave de um eterno retorno aos fatos que antecederam ao golpe.

    Houve um terceiro setor da sociedade – os apoiadores do lavajatismo – para quem não estaríamos vivendo uma contrarrevolução, e sim uma *revolução*. No seu imaginário histórico, os acontecimentos da crise não se assemelhariam a 1964, mas à revolução de 1930, retratada por seus artífices como um processo conduzido por uma classe média idealista, progressista e civicamente orientada.[22] O conceito de

---

22  Não se deve, é claro, dissociar completamente o lavajatismo de elementos ideológicos tradicionais do discurso reacionário contra a

revolução é aqui mobilizado como um processo de ampla transformação promovido por uma sociedade civil cansada de privilégio e impunidade. Encabeçada por uma vanguarda de heróis iluministas, como foram outrora tenentes como Juarez Távora e Eduardo Gomes, que se levantaram contra a República Velha, a nova revolução encontraria seus heroicos portadores em juízes como Sérgio Moro e promotores como Deltan Dallagnol. A Operação Lava Jato era percebida como uma nova Coluna Prestes encarregada de varrer a politicagem, se não mais a golpes de metralha, pelo menos de vazamentos, delações premiadas e rigorosas condenações judiciais. Por essas características, o terremoto constituiu uma verdadeira *revolução judiciarista*. Empregamos a expressão aqui em sentido amplo, levando em consideração o fato de seus protagonistas pertencerem aos órgãos da justiça e por acreditarem lhes caber regenerar um sistema corrompido em seus valores republicanos, liberais e democráticos por uma classe política profissional, que exploraria o Estado em proveito próprio.

O papel desempenhado pelos juízes e promotores, na qualidade de portadores da revolução judiciarista, só pode ser adequadamente entendido na medida em que se compreenda o espaço significativo que as "vanguardas modernizadoras" possuem na cultura política brasileira. Em todas as épocas de crise do sistema político-constitucional em que se acreditou difusamente que a classe política havia se tornado um obstáculo ao progresso do país, houve espaço para a emergência de novos personagens, investidos no papel

---

esquerda e o declínio da moralidade. Veja-se, por exemplo, a relação entre o procurador Deltan Dallagnol e o discurso religioso, para o qual o combate à corrupção é uma missão dada por Deus.

de vanguarda regeneradora da república. Há o tecnocrata apartidário e patriota, engenheiro ou médico; há o bacharel ou o jurista liberal, geralmente constitucionalista ou penalista; há o militar positivista etc. Nos últimos quinze anos, surgiu uma categoria nova, a do juiz e a do promotor de justiça que, incrustados no Estado, entendem que deveriam agir no sentido de combater a impunidade política, respondendo apenas à própria consciência iluminada pela Constituição.[23]

Por seu perfil ideológico e motivações, os "novos tenentes" são bacharéis ilustrados que, no passado, teriam sido atraídos pela carreira política propriamente dita. Diante das dificuldades opostas pela atual massificação da política, com seu "baixo nível", esses bacharéis julgaram mais cômodo e eficaz operarem por dentro do próprio Estado, através das instituições e instrumentos judiciários criados pela Constituição de 1988 e fortalecidos no curso das décadas seguintes. Oriunda geralmente da classe média, legitimados intelectualmente pela aprovação em concurso público e legalmente pelo papel de representantes funcionais da sociedade civil, esses promotores e juízes construíram parte importante de sua carreira no combate jurídico contra a política profissional, especialmente os ocupantes de cargos legislativos. Vistos como pragmáticos, incultos e mal-intencionados, os políticos profissionais viveriam exclusivamente da exploração de um eleitorado pobre e ignorante, desprezando as aspirações cívicas da sociedade civil, entendida como "classe universal". Imbuídos de um

---

[23] ARANTES, Rogério. *Judiciário e Política no Brasil*. São Paulo: Idesp, 1997; KERCHE, Fábio. "O Ministério Público e a constituinte de 1987/88". *In*: SADEK, Maria Tereza (Coord.). *O sistema de justiça*. Rio de Janeiro: Centro Edelstein de Pesquisas Sociais, 2010.

idealismo constitucional, os novos tenentes desejam regenerar a "pureza" das instituições Constitucionais de 1988, corrompidas pelos políticos "carcomidos".

Ao contrário do que se pode imaginar, o *judiciarismo* é fenômeno antigo no Brasil. Tem inspiração no papel de guardião da Constituição exercido pela Suprema Corte dos Estados Unidos, descrito e divulgado por clássicos como Tocqueville e James Bryce. Ele aflorou entre nós com a República e a criação do Supremo Tribunal Federal, encarregado de arbitrar as contendas entre os poderes políticos e garantir os direitos fundamentais, encontrando seu amadurecimento liderado por Rui Barbosa desde o começo do regime, contra a ditadura do Marechal Floriano Peixoto, e encampado por Ministros do Supremo Tribunal, como Pedro Lessa. Ambos clamavam pela consagração institucional do Supremo como Poder Moderador do regime, encarregado de fazer valer os princípios republicanos, liberais e democráticos da Constituição. A alegada divisão entre questões jurídicas e políticas, suscitada pelos conservadores como óbice à interferência do Supremo em matéria de estado de sítio, intervenção federal ou eleições, era um artificialismo. Rui sustentava que o Judiciário era "indubitavelmente, um poder, até certa altura, político, exercido, sob as formas judiciais".[24] Os demais poderes não poderiam recusar obediência aos julgados do Supremo alegando matéria política, porque era o próprio Supremo que decidia em última análise o que era político e o que era jurídico. Pedro Lessa iria mais longe: "Ao Presidente da República nenhuma autoridade legal reconheço para fazer

---

[24] BARBOSA, Rui. *Escritos e discursos seletos*. Rio de Janeiro: Nova Aguilar, 1960, p. 585.

preleções aos juízes acerca das interpretações das leis e do modo como devem interpretar a Justiça".[25] Embora a jurisdição constitucional fosse criação da República, os liberais judiciaristas continuavam a crer que o Supremo seria o Poder Moderador das repúblicas presidenciais e, portanto, o legítimo sucessor do Império. Enquanto Lessa acreditava que o Brasil era o país "onde mais necessário se faz o exercício do Poder Moderador da Corte Suprema",[26] Rui descrevia seu papel recorrendo às imagens e metáforas do período monárquico:

> O Supremo Tribunal Federal *está de vela, na cúpula do Estado, a todo o edifício constitucional*, sendo (...) essa instituição, a todas as outras sobreeminente neste ponto de vista, *a instituição equilibradora, por excelência, do regime*, a que mantém a ordem jurídica nas relações entre a União e os seus membros, entre os direitos fundamentais e os direitos do poder, entre os poderes constitucionais uns com os outros, sendo esse o papel incomparável, – a sua *influência estabilizadora e reguladora* influi, de um modo nem sempre visível, mas constante e profundo, universal, na vida inteira do sistema.[27]

O judiciarismo tornou-se a partir da presidência de Hermes da Fonseca (1910-1914) um discurso de combate ao *establishment* da República Velha, cujo modelo político

---

[25] LESSA, Pedro. *Do Poder Judiciário*. Rio de Janeiro: Francisco Alves, 1915, p. 317.
[26] LESSA, Pedro. *Do Poder Judiciário*. Rio de Janeiro: Francisco Alves, 1915, p. 377.
[27] BARBOSA, Rui. *Escritos e discursos seletos*. Rio de Janeiro: Nova Aguilar, 1960, p. 576.

oligárquico baseado na Política dos Governadores era diuturnamente denunciado pelos bacharéis. O judiciarismo se caracterizava pela defesa do Poder Judiciário como um sucedâneo do Poder Moderador monárquico, capaz de garantir, por intermédio da jurisdição constitucional, o primado do Estado de Direito democrático contra as veleidades oligárquicas ou autoritárias do regime. Foi nessa condição que o judiciarismo legitimou o movimento tenentista e a Revolução de 1930 na década de 1920.[28] Com o seu discurso de acentuados contornos éticos, em torno da ideia de uma república liberal e civicamente mobilizada, o judiciarismo tornou-se uma vertente poderosa dentro do liberalismo brasileiro, reverberando nas décadas posteriores na luta dos bacharéis liberais contra o autoritarismo do Estado Novo e do regime militar. Basta lembrar aqui os bacharéis da antiga União Democrática Nacional (como Afonso Arinos, Bilac Pinto e Aliomar Baleeiro) e do antigo Partido Socialista Brasileiro (como Evandro Lins e Silva, Hermes Lima, João Mangabeira) durante a República de 1946 a 1964. Mas o judiciarismo não prosperou porque teria sofrido a concorrência desleal, no papel de "herdeiro do Poder Moderador", das Forças Armadas. Afonso Arinos de Mello Franco lamentaria em 1958: "Nunca o Supremo Tribunal brasileiro pôde exercer a sua missão específica de árbitro da legalidade, contendo os excessos do Executivo. Faltou-lhe a tradição jurídica das cortes inglesas e americanas".[29] Na

---

[28] LYNCH, Christian Edward Cyril. "Entre o judiciarismo e o autoritarismo: o espectro do poder moderador no regime republicano (1890-1945)". *História do Direito*, nº 3, Curitiba, 2021.

[29] MELO FRANCO, Afonso Arinos; PILLA, Raul. *Presidencialismo ou parlamentarismo?* Rio de Janeiro: Livraria José Olympio, 1958, p. XIV.

mesma época, João Mangabeira lamentava igualmente, ao afirmar que a instituição que mais falhara na República não teria sido o Congresso, mas o Supremo Tribunal:

> O órgão que a Constituição criara para seu guarda supremo, e destinado a conter, ao mesmo tempo, os excessos do Congresso e as violências do Governo, a deixava desamparada nos dias de risco ou de terror, quando, exatamente, mais necessitada estava ela da lealdade, da fidelidade e da coragem de seus defensores.[30]

O ambiente favorável à afirmação do discurso judiciarista só se delineou na década de 1990, após o longo período de tutela do Judiciário promovido pelo regime autoritário. O generoso desenho institucional da Constituição de 1988, a massificação do ensino jurídico e a valorização das corporações judiciárias, no que tange às suas carreiras e salários, atribuições e competências, restabeleceu um novo tipo de ação da classe no país.

A ascensão dos novos atores judiciários foi, por fim, coroada pelo advento do neoconstitucionalismo como filosofia e hermenêutica jurídicas e abençoada por parte da Sociologia do Direito. Ganharam destaque novas doutrinas constitucionais de caráter pós-positivista, elaboradas a partir da década de 1970, tendo por referência o conjunto de textos constitucionais europeus surgidos depois da Segunda Grande Guerra. Tais Constituições não se limitavam a estabelecer

---

[30] MANGABEIRA, João. *Ruy*: o estadista da República. São Paulo: Martins, 1960, pp. 69/70.

competências, estruturar os poderes públicos, e definir alguns direitos individuais, como se fazia até então; elas continham alto número de normas substantivas – as chamadas "normas programáticas"[31] –, as quais condicionavam a atuação do Estado por meio da fixação de finalidades públicas. Além disso, muitos de seus dispositivos eram redigidos com a utilização de conceitos indeterminados. Com base neste novo padrão de Constituição, a academia e a comunidade de operadores institucionais do Direito, com destaque para os juízes, construíram novas ferramentas hermenêuticas. Tornaram-se comuns, em obras monográficas e em decisões judiciais, referências a categorias como as das

> técnicas interpretativas próprias dos princípios constitucionais, a ponderação, a proporcionalidade, a razoabilidade, a maximização dos efeitos normativos dos direitos fundamentais, o efeito irradiação, a projeção horizontal dos direitos, o princípio *pro personae* etc.

Os juízes passaram a lidar, por intermédio dos princípios constitucionais, com valores constitucionais, que deveriam ser aplicados aos casos "de forma justificada e razoável, dotando-os, dessa maneira, de conteúdos normativos concretos".[32]

Mas o neoconstitucionalismo brasileiro recebeu também uma influência considerável da própria corrente liberal

---

[31] CRISAFULLI, Vezio. *La Costituzione e le sue disposizioni di principio*. Milão: A. Giuffrè, 1952.
[32] CARBONELL, Miguel. *Teoría del neoconstitucionalismo*. Madrid: Trotta, 2007, pp. 9-11.

gestada sob e contra o regime militar na década de 1970 por Raymundo Faoro, que serviria para atualizar as premissas judiciaristas fixadas por Rui Barbosa e Pedro Lessa. Em sua obra, Faoro descreve a história política e social brasileira como uma espécie de Antigo Regime, herdado do português, disfarçado de Estado Democrático de Direito: "De Dom João I a Getúlio Vargas, numa viagem de seis séculos, uma estrutura político-social resistiu a todas as transformações fundamentais, aos desafios mais profundos, à travessia do oceano largo".[33] Este autoritarismo de matriz ibérica seria governado, desde tempos imemoriais, por um estamento burocrático sufocador da sociedade civil, descrito como "uma estratificação aristocrática, com privilégios e posição definidos pelo Estado".[34] Dominando o país pelo patrimonialismo, o estamento impedia a nação de modernizar-se espontaneamente, impondo-lhe do alto, à maneira do despotismo ilustrado, uma modernização superficial, que lhe permitiria acompanhar o movimento do mundo, sem ameaça à sua preeminência. Essa modernização autoritária se expressaria por uma política centralizadora, materializada pelo unitarismo, pela monarquia, pelo corporativismo, mas também por um capitalismo politicamente orientado, encarnado pelo estatismo.

O resultado era que, ao contrário do que se dava na Europa e na América do Norte, onde o tempo histórico era o do progresso democrático, na América Latina ele seria circular: aprisionados em um pesadelo, em uma verdadeira

---

[33] FAORO, Raymundo. *Os Donos do Poder*: formação do patronato político brasileiro. 2ª ed. São Paulo: Editora Globo, 1974, p. 733.

[34] FAORO, Raymundo. *Os Donos do Poder*: formação do patronato político brasileiro. Porto Alegre: Editora Globo, 1958, p. 106.

viagem redonda, os países da região restariam condenados a padecer sempre dos mesmos males do autoritarismo, devido ao pecado original da formação patrimonialista ibérica. A consequência era que, tendo em vista que a cultura nacional se teria frustrado "ao abraço sufocante da carapaça administrativa, trazida pelas caravelas de Tomé de Souza",[35] o Brasil não teria um pensamento político. Este não poderia existir sem um moderno Estado de Direito democrático, dirigido por uma sociedade orientada por um liberalismo orgânico. Tendo em vista que o nosso Estado de Direito teria sido historicamente uma farsa, tal como demonstrado em *Os donos do poder*, o nosso pensamento político não teria passado igualmente de um simulacro de liberalismo democrático. Tratava-se de um falso liberalismo, estatocêntrico, conservador, destinado a manter o *status quo*.

É neste ponto que a interpretação de Faoro revela todas as suas consequências negativas para a história constitucional do país: se um liberalismo orgânico, visceralmente democrático, era ausente do país, não menos ausente seria o seu constitucionalismo. Ele também seria, todo ele, um simulacro, um amontoado de ideias fora do lugar. Para Faoro, nenhuma das Constituições brasileiras teria sido normativa, comandando a realidade do país a partir do poder constituinte do povo soberano. Oscilando entre o nominalismo das formas jurídicas, incapazes de modificar o domínio oligárquico, e a semântica do disfarce jurídico para o exercício autoritário do poder, nossas Constituições foram incapazes de cumprir as promessas democráticas

---

[35] FAORO, Raymundo. *Os Donos do Poder*: formação do patronato político brasileiro. 2ª ed. São Paulo: Editora Globo, 1974, p. 748.

nelas embutidas. Não teria havido constitucionalismo nem no Império nem no Estado Novo, dois regimes antiliberais e autocráticos. As demais experiências não teriam sido muito melhores, nem a de 1946: "Nunca o Poder Constituinte conseguiu nas suas quatro tentativas vencer o aparelhamento do poder, firmemente ancorado no patrimonialismo de Estado".[36] Apenas a ruptura radical com esse passado circular seria capaz de abrir caminho a uma ordem democrática. Ela seria operada pelo povo que, do alto de sua soberania, por meio de Assembleia Constituinte, instauraria uma ordem político-jurídica nova capaz de romper com o "monstro patrimonial-estamental-autoritário" e inaugurar a verdadeira modernidade brasileira. Somente então poderia haver liberalismo democrático autêntico e, com ele, um constitucionalismo não menos verdadeiro. A única solução, em ambos os casos, é a tábua rasa com a história; a ruptura com o passado em nome da justiça e da razão.

O caminho posterior do neoconstitucionalismo no Brasil foi pavimentado por juristas como Paulo Bonavides e José Afonso da Silva que, ao longo da década de 80 revitalizaram o Direito Constitucional recorrendo ao novo constitucionalismo desenvolvido na Europa depois da Segunda Guerra.[37] Inspirado nas experiências democráticas do pós-guerra na Europa, a nova interpretação constitucional previa a substituição do Código Civil pela Constituição como centro organizador do conjunto do

---

[36] FAORO, Raymundo. *Assembleia Constituinte*: a legitimidade recuperada. São Paulo: Brasiliense, 1981, p. 92.
[37] BONAVIDES, Paulo. *Curso de Direito Constitucional*. 8ª ed. São Paulo: Malheiros, 1991; SILVA, José Afonso da. *Curso de Direito Constitucional positivo*. São Paulo: Saraiva, 2009.

ordenamento jurídico: todas as regras do direito nacional deveriam ser compatibilizadas com os princípios da Constituição, entre os quais destacam-se o republicano, da justiça social, da não discriminação, do respeito aos direitos fundamentais da pessoa humana, do repúdio ao racismo e da integração da América Latina. Era o que se chamava "constitucionalizar" o Direito Administrativo, Tributário, Penal, Processual Civil, Empresarial, Familiar, de Sucessões etc.[38] No âmbito político a supremacia do Direito e da jurisdição constitucional exercida em última instância pelo Supremo Tribunal impunha a necessidade de constranger representantes eleitos no sentido da ampliação de práticas democráticas e republicanas. Nessa leitura, o juiz receberia um papel de destaque na efetividade dos princípios constitucionais.

Ao longo da década de 1990, aquela orientação ampliou-se no campo doutrinário do Direito, graças à recepção do neoconstitucionalismo alemão, por meio de autores como Konrad Hesse, Peter Häberle e Friedrich Müller; e, por fim, da presença das teorias da Justiça norte-americanas, formuladas por liberais como John Rawls e Ronald Dworkin.[39] O resultado foi a afirmação de um neoconstitucionalismo ou pós-positivismo progressista. Nas palavras de alguns seus mais conspícuos representantes, ele se orientava pela

---

[38] SILVA, José Afonso da. *Curso de Direito Constitucional positivo*. São Paulo: Saraiva, 2009, pp. 94/95.

[39] LYNCH, Christian Edward Cyril; CHALOUB, Jorge. "O pensamento político-constitucional da República de 1988: um balanço preliminar". *In*: HOLLANDA, Cristina Buarque de; VEIGA, Luciana Fernandes; AMARAL, Oswaldo. *A Constituição de 88 trinta anos depois*. Curitiba: EDUFPR, 2018.

crença de que o Direito Constitucional deve exercer um papel emancipatório, contribuindo para a construção de uma sociedade mais livre, igualitária e democrática, e que a função do estudioso nesse campo não é apenas expor os institutos e dogmas da disciplina, mas também tentar interferir na realidade, para aproximá-la do ideário do constitucionalismo democrático e inclusivo.[40]

O papel dos juízes constitucionais segundo a doutrina neoconstitucionalista era resumido pela famosa conferência proferida por Konrad Hesse em 1959, denominada *A Força Normativa da Constituição*. A separação entre questões políticas e questões jurídicas, então vigente no positivismo clássico, vedava aos operadores do Direito interferir em seara considerada exclusiva dos agentes políticos e administrativos. Hesse pretendia questionar essa doutrina: "Questões constitucionais não são, originariamente, questões jurídicas, mas sim questões políticas".[41] A superação do hiato entre Direito e política em uma democracia dava origem a uma teoria constitucional explicitamente política, calcada na vontade soberana do constituinte. Uma vez que a Constituição era progressista, o progressismo constitucional deveria se estender ao conjunto da sociedade e seus valores deveriam balizar diretamente a atuação dos agentes políticos e administrativos. Realizava-se assim o ideal kantiano da

---

[40] SOUZA NETO, Claudio Pereira; SARMENTO, Daniel. *Direito Constitucional*: teoria, história e métodos de trabalho. Belo Horizonte: Fórum, 2012, p. 15.
[41] HESSE, Konrad. *A Força Normativa da Constituição*. Trad. de Gilmar Ferreira Mendes. Porto Alegre: Sergio Fabris, 1991, p. 9.

supremacia normativa do Direito Constitucional.[42] Uma vez que questões constitucionais eram políticas, cabia aos juízes dos tribunais constitucionais interpretar diretamente os princípios da Constituição assegurando a supremacia de seus valores contra os profissionais da política. A salvaguarda dos direitos fundamentais passava assim a depender acima de tudo daqueles que detinham a prerrogativa de interpretar a Constituição, que eram os juízes do tribunal constitucional.

## O pensamento político da revolução judiciarista: neoconstitucionalismo e interpretação do Brasil

A partir da década de 1990, com a difusão do neoconstitucionalismo, o Direito Constitucional foi alçado à condição de disciplina mais prestigiosa do mundo jurídico, desbancando a processualística e o direito civil. Para tanto, concorreram o modelo da Constituição de 1988, disciplinando a quase totalidade da vida social; e a outorga, ao Poder Judiciário, do papel de seu guardião, armando-o de competências extras, como a do controle concentrado da constitucionalidade. A autonomia funcional que lhe foi concedida ao Judiciário e ao Ministério Público, o incremento do acesso à Justiça pela instituição da Defensoria Pública e a multiplicação dos juizados especiais, além do *boom* das Faculdades de Direito, popularizaram o que se poderia chamar de visão Judiciarista da República. O Supremo abandonou sua hermenêutica baseada na

---

[42] FIORAVANTI, Maurizio. *Constitución*: de la Antigüedad a nuestros días. Trad. de Manuel Martínez Neira. Madrid: Trotta, 2001, pp. 162-164.

autocontenção diante da política para se tornar o árbitro da vida político-constitucional do país.

O pensamento político dessa verdadeira revolução judiciarista pode ser aquilatado pela obra de Luís Roberto Barroso, professor da UERJ e hoje Ministro do Supremo Tribunal Federal. Trata-se de um liberal democrata e assumido defensor da Filosofia kantiana do Direito, que acredita em um processo histórico de avanço civilizacional e aposta no judiciarismo como instrumento de superação do atraso nacional. A meta do novo constitucionalismo brasileiro seria a de

> introduzir de forma radical a juridicidade no Direito Constitucional brasileiro e substituir a linguagem retórica por um discurso substantivo, objetivo, comprometido com a realidade dos valores e dos direitos contemplados na Constituição.[43]

Isso era tão mais necessário na medida em que todo o nosso passado constitucional carregava o "melancólico estigma de instabilidade e falta de continuidade de nossas instituições políticas".[44] Nossas Constituições liberais não teriam passado de mistificações repletas de promessas, jamais honradas, de liberdade e de democracia. Somente por uma tábua rasa na história seria possível fundar um regime de "verdadeiro constitucionalismo" no Brasil. Era assim para a teoria constitucional norte-americana e alemã,

---

[43] BARROSO, Luís Roberto. *O Direito Constitucional e a Efetividade de suas Normas*. Rio de Janeiro: Renovar, 2006, p. IX.

[44] BARROSO, Luís Roberto. *O Direito Constitucional e a Efetividade de suas Normas*. Rio de Janeiro: Renovar, 2006, p. 7.

principalmente, que o jurista deveria se voltar para interpretar a Constituição de 1988.

Como uma espécie de Rui Barbosa redivivo, Barroso apostou cedo na revitalização do Direito Constitucional como disciplina, concebida como um instrumento prático voltado para a concretização dos direitos humanos e da democracia liberal. Essa revitalização passava pela substituição do conservador formalismo positivista por uma nova hermenêutica, chamada originalmente *doutrina da efetividade da Constituição*, depois superada ou alargada pela recepção do *neoconstitucionalismo*. A nova hermenêutica deveria tratar também os princípios constitucionais, não mais como meras normas programáticas, ou declarações sem força normativa, mas como regras. Devido aos seus enunciados relativamente vagos, a necessidade de aplicação dos princípios permitiria ao juiz decidir dentro de um espectro considerável de discricionariedade, orientado sempre por uma análise sistemática e ponderada dos demais valores políticos éticos e comunitários da Constituição. Era assim que, manejado pelas lentes do neoconstitucionalismo, o Direito Constitucional poderia ajudar a reconstruir a República contra os males seculares do autoritarismo e do patrimonialismo. Barroso sublinhava em seus textos a necessidade de empregar o ativismo judiciário para ocupar os vazios deixados por um Legislativo deficiente e descomprometido com o progresso da sociedade brasileira. O Congresso experimentava

> uma crise de funcionalidade e representatividade. Nesse vácuo de poder, fruto da dificuldade de o Congresso Nacional formar maiorias consistentes

e legislar, a Corte Suprema tem produzido decisões que podem ser reputadas ativistas.⁴⁵

A necessidade de colocar o país no caminho da civilização exigia emancipar o mercado e a sociedade civil do estatismo; acabar com a impunidade dos ricos e dos políticos; reduzir as desigualdades raciais, sociais e de gênero; introduzir o semipresidencialismo, o voto distrital misto; e acabar com as coligações nas eleições proporcionais. Assumindo sua cadeira no Supremo Tribunal, Barroso passou a defender abertamente que o STF agisse de modo a suprir aquele *déficit* de legitimidade:

> Para além do papel puramente representativo, supremas cortes desempenham, ocasionalmente, o papel de vanguarda iluminista, encarregada de empurrar a história quando ela emperra. Trata-se de uma competência perigosa (...). Mas, às vezes, trata-se de papel imprescindível.⁴⁶

Investido da condição de juiz constitucional, ele guarda a esperança de que o Supremo Tribunal, sob o seu comando ou inspiração doutrinária, se transforme em

---

45 BARROSO, Luís Roberto. "Constituição, democracia e supremacia judicial: direito e política no Brasil contemporâneo". *Revista da Faculdade de Direito*, Universidade do Estado do Rio de Janeiro, nº 21, 2005.

46 BARROSO, Luís Roberto. "Constituição, democracia e supremacia judicial: direito e política no Brasil contemporâneo". *Revista da Faculdade de Direito*, Universidade do Estado do Rio de Janeiro, nº 21, 2005; BARROSO, Luís Roberto. "A razão sem voto: o Supremo Tribunal Federal e o governo da maioria". *Revista Brasileira de Políticas Públicas*, vol. 5, nº especial, 2015.

agente privilegiado da revolução regeneradora. Do ponto de vista político, Barroso é um "neoliberal progressista" – ou, em nossos próprios termos, um liberal democrata: revela-se tão simpático às reformas de Estado promovidas por Fernando Henrique Cardoso quanto aos programas sociais e às políticas de defesa das minorias adotadas pelo Partido dos Trabalhadores. Em seu diagnóstico das causas do retardo brasileiro, ele parte das interpretações elaboradas por liberais como Sérgio Buarque de Holanda, Raymundo Faoro e Roberto da Matta. Contra os efeitos nefastos da colonização – patrimonialismo, estatismo, falta de ética e desigualdade perante a lei –, Barroso defende emancipar o mercado e a sociedade civil do estatismo, renovar as universidades públicas pelo financiamento privado, acabar com a impunidade dos ricos pela restrição à liberdade depois do segundo grau de jurisdição, e a dos políticos, pela restrição do foro privilegiado; reduzir as desigualdades raciais, sociais e de gênero; reformar o sistema político pela introdução do semipresidencialismo, do voto distrital misto e do fim das coligações nas eleições proporcionais.

Como seria de se esperar, a difusão da doutrina neoconstitucionalista ou, pelo menos, de uma certa interpretação dela, obteve entusiástica repercussão dentro das corporações judiciárias. A doutrina da efetividade e o neoconstitucionalismo puseram a Constituição no centro do sistema jurídico, autorizaram os operadores jurídicos a se orientar politicamente e promoveram uma revolução intelectual a partir da academia, que dali se propagou às procuradorias de justiça e aos tribunais. Os livros de Direito Constitucional viraram verdadeiros tratados de hermenêutica eivados de judiciarismo, girando basicamente em torno da fundamentação doutrinária dos direitos fundamentais e na descrição das atribuições do Ministério Público, do Judiciário e da Defensoria Pública. A parte dedicada a explicar as atribuições e funcionamento dos outros poderes, especialmente o Legislativo, praticamente desapareceu. A desmoralização da classe política gerada pela degeneração das coalizões partidárias e pelo emprego generalizado da corrupção como meio de governo criaram a partir de 2013 o ambiente propício para que muitos operadores jurídicos, já habituados a interferir nas políticas públicas pela judicialização da política, decidissem alterar o *modus operandi* da Justiça para promover a investigação e prisão dos próceres do regime, a fim de refundar a república com base nos princípios republicanos e democráticos consagrados na Constituição.

Começou então a revolução judiciarista que, a partir da Operação Lava Jato, cujos personagens – como o procurador Deltan Dallagnol e o juiz Sérgio Moro – teriam participação nada desprezível no processo de *impeachment* de Dilma Rousseff e de incriminação pública do ex-Presidente Lula. A validação da crença no emprego generalizado da corrupção política como moeda de governabilidade pela Operação Lava Jato permitiu que muitos juízes e promotores, já habituados a interferir nas políticas públicas, se investissem da condição de vanguarda destinada a refundar o país com base em princípios constitucionais republicanos e democráticos, retirando de circulação os próceres do regime comprometidos nas investigações.[47] Mas esse protagonismo

---

[47] KERCHE, Fábio. "Ministério Público, Lava Jato e Mãos Limpas: uma abordagem institucional". *Lua Nova*, São Paulo, nº 105, 2018; MARONA, Marjorie; KERCHE, Fábio. "Do Caso Banestado à

teria sido impossível sem a chancela do Supremo Tribunal Federal e o apoio decidido do ex-Procurador Geral da República, Rodrigo Janot. Deposta a situação petista, o Procurador-Geral voltou-se agressivamente contra a oligarquia peemedebista que se apoderou da presidência da República, buscando desalojar de seus postos, como criminosos, Ministros de Estado, os Presidentes da Câmara dos Deputados e do Senado e o próprio Presidente da República. Começou então a fase, digamos, jacobina da Revolução.

## A articulação da resistência ao judiciarismo depois do *impeachment*

Prenunciada pela profunda dificuldade em negociar com o Congresso nos primeiros meses do segundo mandato, a desagregação da base parlamentar da presidenta Dilma desafiou a trajetória das coalizões partidárias no Brasil. A velocidade com que os antigos aliados da administração petista se rearticularam em torno de um novo governo – e de um novo projeto político – mostrou uma inversão na lógica do presidencialismo de coalizão: o governo Temer havia sido resultado não de um executivo eleito que compunha amplas bases parlamentares, mas ao contrário, de uma composição parlamentar que, através do mecanismo do *impeachment*, compôs uma alternativa política à "ingovernabilidade" do governo Dilma. A expressão "parlamentarismo de cooptação", que setores da imprensa e analistas políticos passaram a utilizar para designar o governo de Michel Temer, ilustra bem a virada na compreensão geral sobre a crise no sistema

---

Operação Lava Jato: construindo uma estrutura institucional anticorrupção no Brasil". *Dados*, vol. 64, nº 3, 2021.

político brasileiro. Diante do avanço nas acusações contra o Presidente e da necessidade de passar no Congresso a agenda econômica, resultado da composição do governo com as forças de mercado, a instabilidade do governo Temer tornou-o ainda mais refém da barganha com o parlamento, ocultando, por trás de uma ampla maioria, a manutenção da "ingovernabilidade".

A oligarquia peemedebista e seus aliados que assumiram o poder depois da queda de Dilma Rousseff se mostraram muito mais hábeis na contenção da revolução judiciarista. Cedo perceberam que o tenentismo togado da Lava Jato só prosperava pelo endosso da Procuradoria Geral da República e chancelado pelo Supremo Tribunal Federal. O ponto alto da revolução judiciarista havia sido a remoção de Eduardo Cunha da presidência da Câmara, articulada por personagens como Janot, Teori Zavascki e Edson Fachin. De modo que em dezembro de 2016 aconteceu o primeiro tropeço do judiciarismo revolucionário quando idêntica medida, tomada contra o Presidente do Senado, Renan Calheiros, trombou com a resistência da Câmara Alta. Diante do receio de desobediência à sua decisão, porque desprovida de força material para se fazer obedecer, o pleno do Supremo recuou da liminar concedida pelo Ministro Marco Aurélio. Decidiu contraditoriamente que a decisão que valera para remover Eduardo Cunha não valia para remover Renan. O argumento da estabilidade política passou a ser desde então empregado pela oligarquia para refrear o ativismo judiciário ou judiciarismo exacerbado. O objetivo era estabilizar Michel Temer na presidência, que a assumira justamente para proteger a oligarquia política dos expurgos judiciários. A "razão de Estado" passava sobretudo por defender a estabilidade como meio indispensável de superação da crise econômica, pela adoção de medidas como a fixação de um teto de gastos, da reforma trabalhista e da previdência. Haja vista que tais reformas dependiam de aprovação pelo Congresso, alegou-se que a manutenção de Renan Calheiros na presidência do Senado era indispensável ao projeto de emenda constitucional que estabelecia o teto de gastos. Começou então o processo de desmoralizar o Supremo perante a opinião pública, cujas consequências permanecem ainda hoje.

Foi assim que Temer aproveitou a onda conservadora para resistir em nome da ordem e da estabilidade à ação política dos judiciaristas. Essa atitude veio acompanhada de diversas providências voltadas para dividir as forças que apoiavam a "revolução judiciarista" e alterar a correlação de forças junto à sociedade, à Procuradoria e ao Supremo Tribunal. Tais medidas foram facilitadas pelo fato de que a impopularidade de seu governo autorizava Temer a fazer o que bem entendesse, sem pruridos morais ou de satisfação à opinião pública. No que diz respeito às forças socioeconômicas, Temer passou a acenar com a possibilidade de empregar sua ilegitimidade e impopularidade para aprovar as reformas econômicas desejadas pelos economistas ortodoxos e pelo empresariado. A partir dessa perspectiva, a oligarquia passou a apresentar o judiciarismo como grave empecilho à aprovação das reformas e subsequente recuperação da economia.

No que diz respeito à correlação de forças no Supremo, houve duas mudanças apreciáveis. Em primeiro lugar, a indicação do então Ministro da Justiça e ex-chefe da polícia paulista, Alexandre de Moraes, para a vaga aberta pela inopinada morte de Teori Zavascki, em fevereiro, sinalizou de modo iniludível que a oligarquia estava disposta a nomear juízes abertamente conservadores e governistas para brecar o avanço do judiciarismo. Em segundo lugar, e tão importante quanto, conseguiu o inestimável apoio do Ministro Gilmar Mendes, que se colocou como principal inimigo da revolução judiciarista e buscou desde então desmoralizar em todos os seus pronunciamentos públicos os "excessos" do ativismo judiciário. Seu primeiro e maior serviço prestado à oligarquia peemedebista foi o de, na qualidade de Presidente do Tribunal Superior Eleitoral, evitar a cassação da chapa eleitoral vencedora nas eleições de 2014, já anunciada pelo Ministro relator do processo, Herman Benjamin, e que implicaria em desalojar Temer do Palácio do Planalto. O mesmo realismo (ou cinismo) que não coibira Temer de nomear o próprio Ministro da Justiça para o Supremo, a fim de embarreirar as ações dos ministros daquela Corte, também não o coibiu de nomear, para o Tribunal Eleitoral, juízes de antemão comprometidos com sua absolvição. Também o novo Ministro da Justiça, Torquato Jardim, vinha expressamente com a missão de desatarraxar os parafusos da Lava Jato na Polícia Federal, promovendo oportunamente a mudança do diretor-geral e contingenciando verbas que mantivessem a Operação Lava Jato funcionando na mesma velocidade. A estratégia de Temer era a de ganhar tempo, sobrevivendo até que o mandato de Janot se encerrasse, que a economia se recuperasse e, pela melhoria do ambiente político, ele pudesse ter a esperança de concluir o mandato presidencial sem ir para a cadeia no dia seguinte.

Outro ponto fundamental a ser atacado na "operação abafa" movida pela oligarquia política contra o judiciarismo foi resistir ao movimento em curso no Supremo, em ação relatada pelo Ministro Barroso, no sentido de restringir o alcance do foro privilegiado, tornado símbolo dos privilégios jurídicos da classe política e sinônimo de impunidade penal. O Congresso Nacional correu para promover a tramitação de um projeto de emenda constitucional destinada a acabar com o foro privilegiado para todas as autoridades. Aqui também a hipocrisia reinou sem peias, porque a proposta, apresentada como satisfação à opinião pública, não passava de tentativa de intimidar a corporação judiciária a provarem do mesmo "remédio republicano", já que também teria suprimido seu privilégio de foro. Percebendo que a maioria dos ministros do Supremo apoiaria Barroso na restrição do foro, em decisão que poderia ser proferida antes do julgamento referente à cassação da chapa no Tribunal Superior Eleitoral ou que a ameaça ao Judiciário em forma de PEC passasse do Senado para a Câmara, o governo recorreu aos préstimos do Ministro Alexandre de Moraes: tendo então a oportunidade de mostrar ao que viera, pediu vistas para adiar a decisão. Para compensar a manobra, os Ministros "revolucionários" – Carmen Lucia, Rosa Weber, Marco Aurélio – anteciparam o voto favorável à restrição do foro.

A crescente divisão do Supremo Tribunal acerca dos rumos a serem tomados ou dos endossos à atuação de Janot, avolumadas pela atuação deletéria de Gilmar Mendes como ator abertamente político, começaram a surtir o efeito desejado pela oligarquia: desacreditar o judiciarismo. Ao mesmo tempo, os setores conservadores e liberais mais à direita começaram a falar na necessidade de uma nova Constituinte. Pouco depois, em um "Manifesto à Nação", publicado pelos juristas Modesto Carvalhosa, Flávio Bierrenbach e José Carlos Dias, no dia 9 de abril de 2017, seus subscritores proclamaram também a necessidade de uma nova Constituição. No dia seguinte, foi a vez do professor Simon Schwartzman entrar na discussão, dando respeitabilidade acadêmica à discussão.[48]

Diante da articulação dos setores conservadores contra o judiciarismo revolucionário, de que era ele, afinal, o comandante-em-chefe, Janot divulgou em meados de maio a delação dos donos da JBS e, com ela, a famosa gravação em que o Presidente da República sublinhava a necessidade de continuar a subornar Eduardo Cunha na cadeia para impedi-lo de fazer delação premiada. Uma vez que a articulação oligárquica avançava a olhos vistos, Janot calculou que a divulgação da delação e do áudio provocaria uma reação de tal ordem junto à imprensa, ao público e ao meio político, que obrigaria Temer a renunciar ou reverteria a tendência dos ministros alinhados com Gilmar Mendes no Tribunal Superior Eleitoral no sentido de evitar a cassação da chapa que o elegera vice-Presidente da República. Pela derrubada de Temer, Janot esperava ainda assegurar a continuidade do movimento "revolucionário" pela escolha de seu favorito, Nicolao Dino, como seu sucessor na Procuradoria Geral da República, por parte de quem viesse a ocupar a poltrona presidencial.

---

[48] CARVALHOSA, Modesto; BIERRENBACH, Flávio; DIAS, José Carlos. "Manifesto à Nação". *O Estado de São Paulo*, 09 abr. 2017. Disponível em: https://opiniao.estadao.com.br/noticias/geral,manifesto-a-nacao,70001732061. Acessado em: 06.06.2022; SCHWARTZMAN, Simon. "A crise brasileira e a Constituição". *Simon's Site*, 09 abr. 2017. Disponível em: http://www.schwartzman.org.br/sitesimon/a-crise-brasileira-e-a-constituicao/. Acessado em: 06.06.2022.

Mas a jogada não deu certo. A despeito do apoio à renúncia que lhe emprestaram órgãos da imprensa liberal, como a Rede Globo e a Folha de São Paulo, Temer revelou uma resiliência digna de baratas em invernos nucleares. A oligarquia acabou por ficar de seu lado, depois de dois dias de profunda incerteza; da mesma forma, o *establishment* socioeconômico interessado em preservar um Presidente impopular, cuja fragilidade o obrigava a comprometer-se com uma agenda retrocessiva que outro em seu lugar não seria capaz de abraçar com tanto empenho. O resultado foi que, poucos dias depois, a despeito da abundância de provas de irregularidades eleitorais, Gilmar Mendes conseguiu garantir a absolvição da chapa presidencial vitoriosa em 2014, no curso de uma sessão que, pelas características que assumiu, foi uma escancarada fraude judiciária. O emprego, mais uma vez, do argumento da razão de Estado para justificar a absolvição de Temer, contra todas as provas, jurisprudência e doutrina, tiveram o efeito adicional de também desmoralizar a Justiça Eleitoral do Brasil.

De perfil político, comprometido com a agenda oligárquica conservadora, mal disfarçada pelo abraço oportunista do discurso garantista, Gilmar Mendes tornou-se no Supremo Tribunal Federal a *nêmesis* de Luís Roberto Barroso. Se este age conforme um idealismo liberal, orientado por valores de liberdade e progresso, aquele passou a agir ostensivamente conforme um realismo conservador, norteado pelos valores da ordem e da estabilidade. Em contraposição ao relativo comedimento e cordialidade de Barroso, com sua indisfarçável aversão aos políticos profissionais, Mendes age de forma truculenta e desassombrada, frequentando o Palácio do Governo para trocar ideias com Temer, falando fora dos autos, intimidando colegas e promotores, e dando declarações políticas cínicas, como aquela, referente à portaria que afrouxou o combate ao trabalho escravo.[49]

Por fim, em aliança com colegas como Ricardo Lewandowski e Dias Toffoli, ligados ao *establishment* alvejado pelo judiciarismo, Gilmar firmou seu império na segunda turma do Supremo Tribunal, que passou a se opor abertamente à primeira, liderada por Barroso, pautando-se por uma política de condenação aberta dos métodos adotados pela revolução judiciarista. Por outro lado, seria de se imaginar que a maioria de seus colegas resolvesse em algum momento dar um basta ao processo de desmoralização contínua da magistratura promovido por Mendes. No entanto, tudo debalde. Embora acreditassem que a postura de Gilmar seja deletéria, não abririam precedente para que pudessem ser eles mesmos questionados pelos pares amanhã. Nada de novo nas tradições nacionais. Como diria um dos nossos pais da pátria, o Visconde do Uruguai: "Assim está o país, e assim é o sistema".[50]

---

[49] RAMALHO, Renan. "Gilmar Mendes diz que faz trabalho 'exaustivo', mas não considera que seja 'escravo'". *Globo Notícias (G1)*, 19 out. 2017. Disponível em: https://g1.globo.com/politica/noticia/gilmar-diz-que-faz-trabalho-exaustivo-mas-nao-considera-que-seja--escravo.ghtml. Acessado em: 08.06.2022.

[50] MASCARENHAS, Nélson Lage. *Um Jornalista do Império – Firmino Rodrigues Silva*. São Paulo: Companhia Editora Nacional, 1961, p. 172.

## O Termidor ou esfriamento da revolução judiciarista

Desde junho de 2017, portanto, desenhou-se a perspectiva do Termidor,[51] ou seja, do esfriamento da revolução judiciarista. A oligarquia passou a atacar o tenentismo togado, sob argumento de que o ativismo judicial produzia instabilidade jurídica e interferia de modo não democrático na função dos representantes eleitos pela vontade popular. Atacaram os excessos do neoconstitucionalismo, da jurisprudência dos princípios etc., não para reequilibrar o sistema ou acabar com a "vanguarda iluminista" do Ministro Barroso, mas para preservar seus privilégios através do formalismo hermenêutico e de juízes compadres. A oligarquia desistiu de manter as aparências de apoio às medidas de combate à corrupção e assumiu de forma desassombrada que o seu único propósito é o de sobreviver, lançando mão de todos os meios de poder ao seu alcance. Da mesma forma, depois do episódio da JBS, o governo e seus aliados arregimentaram uma teia de advogados e juristas encarregados de desautorizar, criticar e resistir a tudo o que viesse de Janot, a fim de desmoralizá-lo e criar narrativas contrárias, de abusos, calúnias, violações da lei etc.

A tática passou a ser a de desmoralizar os juízes e promotores que apoiassem medidas contra o Presidente, ministros de Estado, deputados e senadores. O episódio fracassado da remoção de Aécio Neves do Senado, semelhante

---

[51] O período do Termidor foi como ficou conhecido o momento posterior ao fim da ditadura jacobina, em 1794, durante a Revolução Francesa, marcado por uma estabilização da revolução que viria a ser abalada novamente com outra ditadura, dessa vez a bonapartista.

ao de Renan Calheiros, revelou em definitivo os limites do poder do Supremo, que pela segunda vez consecutiva não conseguiu repetir o precedente da prisão do senador Delcídio Amaral. A nomeação de Raquel Dodge para a PGR confirmou a escolha providencial de Temer, não tendo ela revelado qualquer espírito jacobino, parecendo comprometida com a tese da razão de Estado em que a oligarquia se escudou para resistir à "revolução". Enquanto isso, Gilmar e seus aliados continuaram a brandir argumentos, ora de razão de Estado, ora de garantismo, para reverter decisões do Supremo tomadas sob a inspiração de Barroso, destinadas a combater a impunidade dos políticos, como a restrição do foro privilegiado. A bancada evangélica também passou a intimidar o Supremo com projetos destinados a submeter a referendo do Congresso suas decisões "iluministas" relativas a costumes, como o aborto ou o casamento gay, ou que confiram às igrejas legitimidade processual de questionar judicialmente suas decisões. Em síntese, o avanço do judiciarismo liberal a título de combater a corrupção, causando severas baixas no *establishment* político, gerou forte reação dos setores por ele prejudicados tanto à direita como à esquerda.

Com a reação liderada por Gilmar Mendes no Supremo Tribunal e a queda de Janot da condição de Procurador Geral da República, a revolução judiciarista entrou definitivamente no seu Termidor. Cercado de escândalos e intensamente impopular, Michel Temer se manteve graças à sua habilidade, que lhe permitiu equilibrar-se com um apoio parlamentar de caráter nitidamente oligárquico. A acumulação de fatores adversos agravou brutalmente a sensação de ilegitimidade, renitente desde 2013. Criou-se o ambiente de terra arrasada propício ao surgimento de uma candidatura presidencial antissistema (um "Bonaparte"), bem como a expectativa de que, com a reinjeção de uma dose violenta de legitimidade, o vitorioso viesse a liderar uma reforma política e reiniciar o regime em novos padrões. O judiciarismo incentivara o mito de uma "sociedade civil" virtuosa que deveria assumir as rédeas do país em contraposição à elite política corrompida, como em momentos análogos de crise aguda, entremeando denúncias de corrupção e calamidade econômica – a exemplo de 1961 e 1990 –, foram muitos os acidentes e as particularidades da eleição de 2018. Entre elas, pode-se mencionar o bloqueio ou desidratação de candidatos com discurso antissistema, mas democráticos; a candidatura frustrada de Lula e sua recusa em apoiar um candidato de outro partido; a subestimação da candidatura Bolsonaro, deixando-o livre como opção antissistema; e, por fim, o atentado por ele sofrido, episódio explorado intensamente por seus apoiadores ao longo da campanha para apresentá-lo como um mártir. Como na Itália da Operação Mãos Limpas, a "revolução judiciarista" brasileira terminaria desmoralizando o sistema político, agravando um processo de rejeição às elites da Nova República e de fuga da política da moderação pela institucionalidade.

As eleições levaram assim à presidência da República um "falso Bonaparte", ou seja, um político profissional de extrema-direita, habituado a arrebanhar sua clientela eleitoral entre os nostálgicos da ditadura militar. Seu governo, desprovido de consciência jurídica e incompatível com a Constituição, é dirigido por reacionários radicais coordenados pelos filhos do Presidente. Embora tenha passado seu primeiro ano escondendo-se por trás de uma agenda reformista, Bolsonaro não desejava reformar o regime, mas explorar o sentimento antissistema para destrui-lo. Para tanto, seus radicais promovem uma "guerra cultural" amparada em diversas técnicas do populismo reacionário contemporâneo, entre as quais uma propaganda clandestina voltada para a permanente intimidação dos críticos e contra o livre funcionamento das instituições.[52] O próximo capítulo discutirá alguns dos fundamentos ideológicos do populismo reacionário do governo.

---

[52] ROCHA, João Cezar de Castro. *Guerra cultural e Retórica do ódio*: crônicas de um Brasil pós-político. Goiânia: Caminhos, 2021.

# CAPÍTULO II

O POPULISMO REACIONÁRIO NO PODER: UMA RADIOGRAFIA IDEOLÓGICA DA PRESIDÊNCIA BOLSONARO (2018-2021)

## Ideologias políticas e realidade brasileira

O objetivo deste capítulo é a análise das forças políticas em disputa, examinadas por sua caracterização ideológica. De modo geral, podemos caracterizar as ideologias da modernidade em três grandes famílias. Temos em primeiro lugar o socialismo que, tendo a igualdade como valor primordial, ocupa a esquerda do espectro político, podendo ser cosmopolita ou nacionalista; em segundo lugar, o liberalismo que, tendo a liberdade como valor supremo e universal, é sempre cosmopolita, podendo ser moderado ou radical; e, em terceiro lugar, o conservadorismo que, tendo a autoridade como princípio, está à direita do espectro político e pode ser societário ou culturalista, se crente na incontornável força normativa das tradições, hábitos e valores culturalmente arraigados que se pretende preservar contra a mudança social; ou estatista, se desejoso de um progresso orientado e controlado pela autoridade. Em sua manifestação mais radical, quando não se trata mais de preservar as instituições e valores ou de refrear a mudança, mas sim de destruir a ordem existente em nome de uma imaginada ordem passada, o conservadorismo é reacionário. Já o neoliberalismo ou liberalismo do mercado é um híbrido de liberalismo, porque individualista, e conservadorismo, pois crente no mercado como ordem reguladora da vida coletiva e acima da mudança voluntarista da política.[53]

Os três gêneros ideológicos, com suas respectivas espécies, não são estáticos; eles se adaptam ao longo do tempo por reciclagem sucessiva, conforme a necessidade de reagir às seguidas mudanças ocorridas nos planos social e econômico, que reconfiguram o modo de organização da vida coletiva. Todos são compatíveis com o Estado de Direito democrático, desde que podados de seus extremos à direita e à esquerda. Essas ideologias têm por portadores atores de diversos tipos: jornalistas, políticos, juristas, sacerdotes, militares, acadêmicos, artistas, economistas etc. Expressam pontos de vista e interesses de grupos mais amplos: órgãos de imprensa, partidos políticos, igrejas, forças armadas, universidades ou centros de pesquisa, movimentos sociais, organizações não-governamentais, *think tanks*, emissoras de rádio e televisão etc.

A crise de legitimidade do sistema político da Nova República coincidiu com a ressurgência do conservadorismo como força política, contra o liberalismo e o socialismo que haviam prevalecido até então. Ela resultaria, nas eleições de 2018, na vitória de uma candidatura de vocação antissistema político, provavelmente de um *outsider*. Ele poderia reinjetar legitimidade no sistema para corrigir alguns de seus gargalos, fortalecendo o Executivo Federal dentro do regime democrático. Por circunstâncias muito particulares e singulares, embora houvesse outros candidatos ao posto de "Bonaparte", as eleições elevaram ao poder Jair Messias

---

[53] FREEDEN, Michael. *Ideology*: a very short introduction. Oxford: Oxford University Press, 2003.

## CAPÍTULO II – O POPULISMO REACIONÁRIO NO PODER...

Bolsonaro, o candidato mais autoritário, mas também o mais reacionário, cuja carreira política se assinalava por uma completa esterilidade para tudo o que fosse construtivo. Semelhante à de 1964, reunindo neoliberais e conservadores, tanto estatistas quanto culturalistas, a coalizão conservadora de 2018 poderia em tese produzir reformas como aquelas empreendidas pelo governo Castelo Branco. Entretanto, elas foram inviabilizadas pelo predomínio, na direção da referida coalizão, do tipo mais reacionário dos culturalistas, a que pertencem o Presidente e seus filhos.

Conforme demonstrará a "radiografia" ideológica do governo Bolsonaro aqui esboçada, o núcleo de radicais reacionários é formado essencialmente por rapazes destituídos de experiência política e administrativa pretérita. Movidos por um espírito radical, são animados pela utopia regressiva de reviver, ainda que em barris novos, o vinho de um passado colonial do tempo dos "bandeirantes", cuja cultura era rural, agrária, religiosa e patriarcal. Para criar um ambiente difusor dessas bandeiras, promovem uma "guerra cultural" que vive de prolongar artificialmente o estado de guerra civil latente no país, ao invés de pacificá--lo. Encarregado da formulação das diretrizes do governo Bolsonaro, o reacionarismo sempre foi residual na cultura política brasileira. Sua inédita preeminência no governo atual se deve ao fato singular de a ele pertencerem os filhos do próprio Presidente da República. Eles reivindicam para si e seus associados a vitória eleitoral, atribuindo-a à detença de técnicas populistas de propaganda empregadas pela atual direita radical em outros países, especialmente nos Estados Unidos presididos por Donald Trump. Eles não pretendem usar o prestígio de um candidato "*outsider*" para remediar as falhas do sistema democrático. Pretendem, ao contrário, prolongar artificialmente o mal-estar público, a fim de apresentar o chefe de Estado como seu único ator verdadeiramente representativo. Ao invés de reformar a democracia liberal, o que aparentemente se deseja é erodir suas bases ideológicas de sustentação para instaurar, em meio a seus escombros, um regime de caráter autoritário e personalista. Daí por que a racionalidade administrativa e o êxito governativo foram colocados pela presidência Bolsonaro em segundo plano, propositadamente confundidos com a política proativa e desconjuntada de reformas estruturais.

Para compreender a presidência Bolsonaro, é preciso lembrar que não se trata de um governo normal em tempos normais. Governos normais, eleitos em tempos de rotina republicana, são ancorados em maiorias parlamentares e balizados pelas instituições e valores constitucionais. Do ponto de vista político, tendem ao centro, sejam de direita ou esquerda; do ponto de vista administrativo, eles procuram conciliar seus princípios ideológicos com uma Administração eficiente, a fim de se manter no poder. Para isso lançam mão dos quadros de seus partidos, que presidem e aproveitam a burocracia técnica que serve ao Estado. Governos normais são compreendidos dentro dos modelos de ciência política, no qual o mote segundo o qual "as instituições estão funcionando" não é diagnóstico, é pressuposto. Ocorre que o governo Bolsonaro não é um governo normal, nem normais são os tempos que correm. Por isso se ele nos aparece tão singular ou insólito no seu cotidiano e sua análise exige, portanto, mais criatividade e interpretação.

Bolsonaro assume depois da depressão econômica e da terra arrasada provocada pela "revolução judiciarista" que, na esteira da desmoralização do sistema político, liquidou a credibilidade da Nova República. Bolsonaro encontrou as instituições frágeis, vacilantes, conflagradas por dentro, diante de uma crise econômica imensa. Por isso, ele deseja se afastar das práticas governativas anteriores, sendo desrespeitoso ou deliberadamente ignorante de suas liturgias e práticas, obedecendo a cartilha do líder populista em tensão constante com as instituições. Nesse sentido, o Presidente se pretende abertamente "revolucionário". A situação poderia abrir espaço a um governo bonapartista, no qual um chefe carismático reunificasse a nação com um discurso de autoridade e progresso, e tentasse resolver as tensões políticas reinantes. Mas não foi o que aconteceu. Destituído de espírito construtivo, jurídico e político, Bolsonaro é animado, ao contrário, por um espírito de "revolução reacionária". Por isso não desejou, nem pôde adotar um figurino bonapartista. Ele não quer operar sínteses que superem conflitos, mas destruir o presente para restaurar um passado mítico. Deseja pôr abaixo o mundo que a Constituição criou. Aqui cumpre compreender melhor o tipo de ideologia reacionária que o orienta.

## A construção ideológica da revolução reacionária

O conservadorismo é uma ideologia pautada por duas características maiores: em primeiro lugar, ele sustenta o caráter extra-humano da ordem social, cujos fundamentos remontariam a Deus, à natureza, à biologia, à nação ou ao mercado, opondo-se por isso a qualquer tentativa de alterá-los ou modificá-los. Em segundo lugar, ele apresenta um caráter especular, adaptando-se plasticamente ao inimigo: se o inimigo for o liberalismo, ele se torna estatista; se for o socialismo, ele se torna neoliberal. Os métodos, técnicas e argumentações do adversário são absorvidos e inoculados com valores contrários. Assim, a liberdade de expressão se torna um veículo para apregoar a censura; a defesa das minorias de gênero e raça é reivindicada para defender os brancos heterossexuais. Dentro do gênero conservador, a coalizão governista de Bolsonaro é presidida pela mais reacionária espécie de culturalismo -. porque, ao contrário do conservadorismo liberal, não pretende *conservar melhorando*, nem *progredir na ordem*. Para o reacionário, uma vez que nada sobrou no presente das belas tradições do passado, é necessário operar uma ruptura com a ordem presente para restaurar um mítico passado perdido, considerado verdadeira era de ouro. Ele age assim movido não por um anelo de conservação da herança passada, mas por uma utopia regressiva de restauração.

O ideal político do reacionário é o de retornar a um suposto estado de natureza anterior à existência do estado nacional. A apregoada "civilização judaico-cristã ocidental", em cujo nome seus representantes ideológicos agem politicamente, nada tem aqui a ver com o que se entende desde o século XVIII por "civilização": ela é anti-iluminista e até anti-renascentista, rechaçando valores como pluralismo, tolerância, Estado de Direito e laicidade. Ele remete ao imaginário da "república cristã" medieval, época de nobres cavaleiros que, com suas milícias de servos, deixavam suas famílias nos castelos para lutar contra os mouros. Por isso, os reacionários detestam o Estado, que teria a destruído pela secularização da vida pública e pela centralização política. Em nome da razão, o monarca absoluto solapou o domínio dos grandes proprietários, uniformizou o Direito, estatizou a jurisdição e criou uma burocracia. Ao combater os privilégios nobiliárquicos, o Estado emancipou os servos de seus vínculos de hierarquia e obediência e submeteu a Igreja. Essa obra de destruição dos supostos liames naturais da sociedade pelo absolutismo teria prosseguido com o liberalismo, cujo individualismo pluralista e tolerante confundira todas as hierarquias, minando a autoridade da família e favorecendo a proliferação do pecado e da heresia. O comunismo seria o destino lógico do demoníaco tobogã da modernidade, promovendo abertamente o ateísmo, a supressão da propriedade privada e a confusão dos gêneros. Era assim toda a marcha da modernidade atravessada por uma contínua decadência moral, acompanhada pela dissolução da civilização centrada na autoridade dos sacerdotes e dos patriarcas. Com a massificação da política no século XX, os reacionários ibéricos que abandonaram o modelo elitista ultramontano da Igreja aderiram ao fascismo, que se apropriava do Estado como instrumento coercitivo para combater seus inimigos liberais e socialistas e restaurar a velha ordem. Conforme explicava então um fascista católico, só a ressubmissão do Estado à autoridade religiosa poria fim à

> longa série de renúncias, abandonos, traições, fraquezas, revoltas, que no decorrer de alguns séculos precipitou o mundo relativamente calmo e feliz de certos períodos da Idade Média nas catástrofes revolucionárias e anárquicas do mundo moderno.[54]

O ideal reacionário teve de sofrer adaptações no Novo Mundo. Nos Estados Unidos, a época mítica equivalente à Idade Média teria sido o meio século anterior à Guerra

---

[54] FARIA, Octavio de. *Cristo e César*. Rio de Janeiro: José Olympio, 1937, p. 117.

Civil. Embora até então a liberdade e igualdade fossem privativas de homens brancos, protestantes e, no sul do país, proprietário de escravos, a ideologia reacionária perceberia entre eles vínculos de cristianismo e solidariedade depois destruídos pelo individualismo e pela intervenção do Estado. Não por acaso, o único retrato de Presidente que Donald Trump tinha no Salão Oval era aquele de Andrew Jackson, o populista oitocentista cujo ideal democrático se resumia à limitação do poder do Estado e à defesa da escravidão.[55] Identificado principalmente com o "velho Sul" (*the old South*) escravista, esse tempo mítico teria sobrevivido depois da guerra no "velho Oeste", terra por muito tempo sem Estado que teria sido desbravada por famílias chefiadas por homens viris que, em busca de terra e ouro, enfrentavam toda a espécie de dificuldades – a maior das quais, o índio. No caso do Brasil, país cujo complexo de inferioridade reduziu a importância da história como terreno de disputa política, os reacionários contemporâneos foram obrigados a se referir a uma época mais recente, a ditadura militar, ou ao período monárquico, romantizado pelas lentes medievalistas. No fundo, a utopia regressiva dos reacionários brasileiros remete mesmo ao imaginário da sociedade colonial do século XVII, comandadas por chefes de família patriarcais descendentes de europeus. Trata-se de um replicação imaginária do "velho Oeste" norte-americano. Enquanto os senhores de engenho levantavam igrejas e protegeriam o povo, viris "bandeirantes" chefiavam milícias de mestiços em expedições pelo sertão adentro para apresar índios e buscar riquezas naturais,

---

[55] HOWE, Daniel Walker. *What hath God wrought*: the transformation of America, 1815-1848. Oxford University Press, 2007, p. 149.

extraindo da exuberante natureza o máximo que podiam, sem a presença incômoda de um Estado que, de resto, não existia. Esse é o modelo de "comunidade política natural" por que os reacionários brasileiros suspiram. Daí sua atração por tudo aquilo que a sociedade brasileira herdou de pior da colonização: o culto da morte e da violência, o autoritarismo, a exploração predatória da natureza, o anti-intelectualismo, o personalismo, o patrimonialismo, o patriarcalismo etc. Este ideal civilizatório de inspiração medievalista encontrou expressão brasileira na obra filosófica de Olavo de Carvalho, cujas qualidades de polemista reacionário e o domínio das novas técnicas de comunicação digital lhe garantiram a posição indisputável de mestre do populismo reacionário brasileiro. Olavo compartilhava pelo menos quatro características comuns aos autores da direita radical: a retórica apocalíptica de fim dos tempos (o decadentismo); o receio de elites cosmopolitas (o globalismo); a distinção entre amigos e inimigos (a luta pela vida); e a noção de metapolítica (precedência da luta política pela cultura).[56] Ele considerava a filosofia como o único saber verdadeiro sobre o mundo, de validade universal e eterna. Essa filosofia teria no Ocidente se originado da experiência cultural grega e romana e encontrado seu apogeu com os escolásticos medievais e seus seguidores neotomistas. A civilização cristã representada por essa filosofia teria começado a decair com o Renascimento e o Iluminismo, e a consequente apologia do relativismo de valores decorrentes da dissociação entre fins e valores culturais:

---

[56] SEDGWICK, Mark (Coord.). *Key thinkers of the radical right*: behind the new threat to liberal democracy. Oxford: Oxford University Press, 2019, p. XXIII.

> Estamos descendo do topo aonde nos havia conduzido a evolução que vai dos profetas hebreus, passando pela filosofia grega, até o advento de Nosso Senhor Jesus Cristo. Estamos perdendo as prerrogativas da consciência individual autônoma e nos submetendo, na teoria e na prática, às exigências de uma sociedade auto divinizada que, sob pretexto de modernos, científicos e progressistas, só promete em última instância nos devolver ao estado de sujeição mental em que a massa indistinta não consiga conceber nada além do que lhe seja editado pelo discurso de um governante todo poderoso.[57]

A filosofia de Olavo é caraterizada por uma concepção petrificada de cultura, concebida como um saber verdadeiro e eterno de origem divina, cujo inimigo seria o progresso e a revolução, associadas ao casuísmo e à subversão: "A natureza humana de cada um dos membros da sociedade não depende da sociedade em que vive, mas é um dado anterior e fixo".[58] Todos os fenômenos do mundo são apresentados como sendo, em última análise, uma luta entre o bem – a tradição, o clássico, os mortos, a filosofia – contra o mal – a revolução, o moderno, os vivos. Ao contrário do que sustenta a ciência social moderna, os valores modernos de laicidade e ciência não seriam resultados de um longo processo de mudança social e econômica, e sim da ação

---

[57] CARVALHO, Olavo de. *O futuro do pensamento brasileiro*: estudos sobre o nosso lugar no mundo. Rio de Janeiro: Faculdade da Cidade, 1997, p. 151.

[58] CARVALHO, Olavo de. *O futuro do pensamento brasileiro*: estudos sobre o nosso lugar no mundo. Rio de Janeiro: Faculdade da Cidade, 1997, p. 224.

propositada e contínua de elites pervertidas ao longo dos séculos, a fim de conformá-lo com valores contrários à sua natureza. Essa dominação seria presentemente assegurada pelo "marxismo cultural", que empregaria técnicas de manipulação mental para convencê-los a abraçar valores opostos à sua natureza e cultura:

> O rol das técnicas que o século XX concebeu para este fim é de fazer inveja aos cientistas de outros ramos: reflexos condicionados, lavagem cerebral, guerra psicológica, influência subliminar, controle do imaginário, engenharia comportamental, informação dirigida, programação neurolinguística, hipnose instantânea, estimulação por feromônios, a lista não tem mais fim.[59]

A secularização e o liberalismo das elites teriam destruído os fundamentos naturais da sociabilidade cristã, baseada na Igreja e na família, abrindo as portas para as ideologias totalitárias, com todos os seus erros, absurdos e crimes. Hegelianismo, positivismo, marxismo, pragmatismo, psicanálise, comunismo, nazifascismo teriam confluído afinal para a construção de uma pseudodemocracia, verdadeira máquina de opressão do ser humano, na qual um Estado onipotente comandado por elites estrangeiradas garantiria o primado do relativismo, do ateísmo e do comunismo: "A dialética do poder no Estado moderno é diabolicamente simples (...). O

---

[59] CARVALHO, Olavo de. *O futuro do pensamento brasileiro*: estudos sobre o nosso lugar no mundo. Rio de Janeiro: Faculdade da Cidade, 1997; CARVALHO, Olavo de. *O jardim das aflições - De Epicuro à ressurreição de César*: ensaio sobre o materialismo e a religião civil. Rio de Janeiro: Vide, 2015, p. 86.

Estado se torna mais poderoso e opressivo quanto mais se multiplicam as liberdades e direitos humanos".[60]

Olavo pregava assim a necessidade de um combate implacável à modernidade, tomada como sinônimo de erro, absurdo, ideologia ou crime. Todas as pessoas, coisas, ideias ou instituições que se lhe opusessem à tentativa de salvar sua alma deveriam ser combatidas como heréticas e demoníacas. Nada era mais urgente nem mais importante: "Que importam o racismo, a pobreza, a injustiça social, a corrupção dos políticos, se a arma que se consagrou na luta para conservá-los ou extingui-los é a escravização da espécie humana?".[61] Os hipnotizados pelo narcótico da modernidade precisavam reagir para se tornarem cruzados na "batalha pela eternidade", movendo uma "guerra cultural" em defesa da família e da religião. Os mais inteligentes poderiam ser convencidos por cursos de filosofia por ele ministrados. Para além de clássicos reacionários como De Maistre, Donoso e Maurras, Olavo resgatava autores ocultistas e irracionalistas do século XX que haviam sido simpáticos ao fascismo e o nazismo, como René Guénon, Julius Evola e Carl Schmitt, mas também contemporâneos ou quase contemporâneos, como Eric Voegelin e Alexandre Dugin. Já os burros deveriam ser convencidos e mobilizados por palavras de ordem pelas redes sociais. Nessa luta do homem para recuperar sua humanidade ameaçada contra o "sistema", qualquer

---

[60] CARVALHO, Olavo de. *O jardim das aflições - De Epicuro à ressurreição de César*: ensaio sobre o materialismo e a religião civil. Rio de Janeiro: Vide, 2015, p. 350.

[61] CARVALHO, Olavo de. *O jardim das aflições - De Epicuro à ressurreição de César*: ensaio sobre o materialismo e a religião civil. Rio de Janeiro: Vide, 2015, p. 118.

transigência era sintoma de fraqueza. A gentileza, o pacifismo ou a educação não passariam de ardis para a infiltração do veneno corrosivo do cosmopolitismo. Daí por que os conservadores deveriam assumir o discurso do ódio e admitir o emprego da violência, real ou simbólica, contra o diferente. Ele serviria para despertar o conservador adormecido e intimidar o "comunista" – epíteto empregado para descrever qualquer tipo de progressista, liberal ou socialista. O discurso público de ódio serviria ainda para diferenciar novo estilo conservador como popular, em contraposição ao famigerado "politicamente correto" dos progressistas:

> Na vida há obstáculos que não podem ser "vencidos": só podem ser *destruídos*. (...) Chega de *guerra assimétrica*. (...) Denuncie cada filho da puta, atire na cara dele, em público, todo o mal que ele representa e personifica. Recuse-lhe amizade, tolerância ou respeito, mesmo em pensamento. Esses canalhas vivem da generosidade das suas vítimas. Discrimine quem o discrimina, oprima quem o oprime, achincalhe quem o achincalha. (...). Nunca esqueça: cada comunista trama dia e noite a morte de quem atravesse, mesmo por descuido, o caminho da maldita revolução. Chamar um comunista de assassino é redundância.[62]

Em países novos como o Brasil, a decadência operada pelo marxismo teria se iniciado na década de 1950 – tempo do apogeu da cultura nacional, destruída pela ideologia

---

[62] CARVALHO, Olavo de. "Post: 'o desmantelamento completo da máquina golpista da esquerda'". *Post do Facebook*, 2 dez. 2014. Disponível em: www.facebook.com/carvalho.olavo/photos/a.275188992633182/411841992301214/?type=3. Acessado em: 15.07.2022.

esquerdista imposta pelas universidades, que precisava, portanto, ser combatida. Para Olavo, a existência do Brasil dependeria da preservação de um núcleo de ideias, fórmulas e símbolos básicos, seguida por um trabalho voltado para conferir à nação a unidade de sua consciência.[63] A luta pela restauração da cultura nacional dependia da articulação das obras deixadas por intelectuais conservadores como Gilberto Freyre, Mário Ferreira dos Santos e Miguel Reale, com a universalidade dos valores cristãos pregada por tomistas como Jackson de Figueiredo e Tristão de Ataíde, ou Octavio de Faria. Era esse o papel que Olavo julgava seu: vincular novamente o Brasil

> às correntes milenares e mais altas da vida espiritual no mundo a fazer em suma com que o Brasil, em vez de se olhar somente no espelho estreito da modernidade, imaginando que quatro séculos são a história inteira do mundo, consiga se enxergar na escala do drama humano ante o universo e a eternidade.[64]

Olavo de Carvalho divulgou suas obras e de outros pensadores conservadores e reacionários em cursos pela internet e pelas redes sociais, alcançando milhares de pessoas, a maioria jovens em busca de orientação espiritual, por ele incumbidos da missão de combate à hegemonia da esquerda e de regeneração da autêntica cultura brasileira.

---

[63] CARVALHO, Olavo de. *O futuro do pensamento brasileiro*: estudos sobre o nosso lugar no mundo. Rio de Janeiro: Faculdade da Cidade, 1997, p. 71.
[64] CARVALHO, Olavo de. *A Nova Era e a revolução cultural*: Fritjof Capra e Antonio Gramsci. São Paulo: Vide, 2016, pp. 18/19.

Não é surpresa para ninguém, portanto, que os principais expoentes do reacionarismo no governo Bolsonaro tenham se recomendado aos cargos de direção administrativa como amigos de seus filhos e discípulos de Olavo, e que eles tenham, ao menos em um primeiro momento, buscado balizar suas ações *observando* as diretrizes de seu pensamento no campo intelectual e dado continuidade, no governo, à necessidade de mover uma "guerra cultural". Desde os ataques do Ministério da Educação às universidades e seus professores, até a tentativa de apostar em um tipo de política externa orientada pela ideia de reeditar na modernidade a "república cristã" da Idade Média, cuja nova Roma seria a Washington de Donald Trump. O "nacionalismo" dos reacionários só pode ser compreendido nesse contexto de uma operação de salvamento da "civilização judaico-cristã ocidental", protagonizada pelos Estados Unidos. Para os bolsonaristas, uma política "nacionalista" significa manifestar independência e hostilidade a respeito do "globalismo" internacionalista, subordinando-se, porém, à nova Roma americana, coadjuvando-a em suas cruzadas contra os novos mouros, especialmente os chineses.

Se os reacionários radicais e os neoliberais ou liberais de mercado são os sócios ideologicamente mais expressivos da coalizão conservadora vitoriosa em 2018, dois eram seus sócios não menos importantes: primeiro, os generais aposentados contemporâneos de Jair Bolsonaro ao tempo de sua formação na Academia Militar das Agulhas Negras, representados inicialmente pelo vice-Presidente Hamilton Mourão e, depois, pelo Ministro Braga Neto; segundo, os liberais saídos da "revolução judiciarista" (os "lavajatistas"), identificados com o ex-Ministro da Justiça, Sérgio Moro. Ofendidos pelos ataques à memória do regime militar durante a situação petista, identificada com a corrupção e pautas identitárias divisivas e exóticas, os generais que aderiram ao bolsonarismo acreditavam que, diante da anarquia reinante desde 2013, o Brasil precisaria de um "freio de arrumação". Ideólogos importantes do discurso conservador militar, como o general Villas Bôas, manifestaram preocupação com a emergência de reivindicações de gênero, raça e identidades subalternas que estariam acelerando a dissolução de uma suposta "coesão da sociedade nacional", ampliando a "fragmentação social" e nos desfigurando como nação.[65] Não à toa, o general – cuja atuação política tornou-se conhecida ao constranger o Supremo por meio de tweets às vésperas da votação que autorizou a prisão em segunda instância - seria um dos principais artífices do apoio militar a Bolsonaro. Por outro lado, o conservadorismo desse grupo se pretende menos populista e reacionário do que da família Bolsonaro, bebendo antes na tradição militar de matriz positivista para combinar os imperativos da "ordem" e do "progresso". No "Projeto de Nação" elaborado pelo Instituto Sagres presidido por Villas Boas e coordenado pelo general Luiz Eduardo Rocha Paiva, os militares bolsonaristas reivindicam para si a condição de "conservadores evolucionistas":

> Ser Conservador significa defender a manutenção daquilo que dá efetivo vigor às instituições sociais tradicionais, transmitindo a cada geração o que há de melhor em termos de experiências e contributos

---

[65] GENERAL VILLAS BÔAS. "Brasil: Imperativo Renascer!". *Youtube*, Rio de Janeiro, Editora Insight, 23 jan. 2018. Disponível em: https://www.youtube.com/watch?v=iKx5_5k1hhA. Acessado em: 14.07.2022.

humanos, no contexto da cultura e da civilização. Seus principais valores são a liberdade e a ordem, com destaques para a liberdade política e econômica e a ordem social e moral. O Conservador evolucionista não é imobilista, porque advoga que as mudanças e o contínuo desenvolvimento são necessários e saudáveis para as nações, mas a progressiva complexidade conjuntural exige que essas mudanças sejam prudentes e graduais, levando em consideração a experiência, a História e as tradições. Vale dizer que, em uma sociedade dinâmica, a permanência e a evolução são reconhecidas e conciliadas.[66]

A despeito de seu conservadorismo, portanto, a ala militar apresenta diferenças em relação aos reacionários e os neoliberais. Embora atenuado, seu tradicional estatismo é herdeiro do absolutismo ilustrado de Pombal e Jose Bonifácio, focado em construir o Estado em torno de uma burocracia orientada pelo ideal do mérito e da ciência. O conservadorismo estatista encontrou seus sucessivos avatares no "saquaremismo" do Segundo Reinado, no positivismo da Primeira República, no tenentismo da Era Vargas e no desenvolvimentismo do regime militar.[67] Quase sempre aliadas em todas essas circunstâncias, as distintas alas da coalizão no passado resolviam suas diferenças com o predomínio dos estatistas. Os culturalistas exerciam um

---

[66] SAGRES, Instituto. *PROJETO DE NAÇÃO – Cenário Prospectivos Brasil 2035 – Cenário Foco – Objetivo, Diretrizes e Óbices*. Brasília, 2022, p. 15.
[67] LYNCH, Christian Edward Cyril. "Cultura política brasileira". *Revista da Faculdade de Direito da UFRGS*, Porto Alegre, nº 36, ago. 2017, pp. 4-19.

papel subordinado de legitimação intelectual na área de educação e cultura. No governo Bolsonaro, principalmente em seus inícios, ocorreu o oposto: foi o grupo de reacionários vinculados a Olavo de Carvalho que deu as cartas na formulação estratégica do governo, limitando-se os militares ao apoio tático. A ascendência dos populistas reacionários se justifica, aos olhos do Presidente, na medida em que operam uma invencível máquina de propaganda que, pela "guerra cultural", lhe asseguraria a fidelização de eleitores radicalizados contra seus adversários políticos e o controle de narrativas sobre acontecimentos que pudessem lhe prejudicar a popularidade, concorrendo para potencializar suas chances de triunfo eleitoral. Como o núcleo do populismo reacionário é formado pelos próprios filhos de Bolsonaro, ele representa a alma do governo, impondo-se sempre que os generais ou tentam imprimir rumo diverso à direção do governo e dificultando quaisquer pressões de membros do governo, principalmente aliados partidários no Congresso, por moderação.

O mesmo ocorreu com a ala lavajatista representada por Sérgio Moro. Os "tenentes togados" haviam sido os principais agentes da "revolução judiciarista" que derrubara do poder o consórcio PT-PMDB. Ideologicamente ligados ao liberalismo de retórica republicana, de que Rui Barbosa foi o grande expoente histórico, o "judiciarismo" dos lavajatistas transfere às corporações judiciárias o papel de salvar a República da oligarquia e do autoritarismo. Uma vez que a eleição de 2018 opunha um representante da situação derrubada (Haddad) a outro, que apoiava a "luta contra a corrupção" (Bolsonaro), os "tenentes togados" embarcaram no governo, com o apoio dos novos liberais conservadores do Movimento Brasil Livre (MBL) e outros movimentos de rua congêneres. No Ministério da Justiça, imaginavam, os "tenentes togados" dariam sequência ao seu projeto de "purgar" o Brasil da degeneração, alçando depois Sergio Moro à condição de Ministro do Supremo Tribunal Federal (STF). O "judiciarismo" se deixou assim capturar pelo reacionarismo autoritário. Não à toa, diversos juízes perderam os escrúpulos funcionais e passaram a fazer profissão de fé bolsonarista. O ganho publicitário da adesão do lavajatismo, para Bolsonaro, foi imenso, porque pôde apresentar sua chegada ao poder como o desfecho natural da "revolução" iniciada nas jornadas de 2013 contra o "sistema". A verdade é que, encalacrada na Justiça, a família Bolsonaro nunca teve qualquer interesse na agenda de Moro, senão explorá-la para seguir associando a corrupção à esquerda. Os liberais da imprensa, do MBL e os "tenentes togados" esquentaram a cama para que os reacionários se deitassem. Manietado, o ex-juiz seguiu como o sócio minoritário da coalizão, mantido como troféu dos reacionários de "sua" bem-sucedida caça à "corrupção esquerdista".

Embora a coalizão formada em torno do Bolsonaro seja semelhante à de 1964, reunindo militares estatistas, neoliberais e reacionários, a correlação de forças é diferente. Se, no passado, prevalecia o conservadorismo estatista de um Golbery do Couto e Silva, a ele subordinados o culturalismo de Gilberto Freyre e Miguel Reale e o neoliberalismo de Roberto Campos e Octávio Bulhões, hoje o núcleo presidencial orbita o culturalismo reacionário de Olavo de Carvalho, aliado ao neoliberalismo de Paulo Guedes. O elemento militar é encarregado de conferir ilusão de ordem aos admiradores do golpismo e de fornecer pessoal técnico obediente a um governo carente de quadros partidários devotados. Também como em 1964, a coalizão comportava inicialmente liberais responsáveis pela desmoralização final do sistema, mas que desertaram Bolsonaro diante da escalada autoritária reacionária. Se outrora foram Carlos Lacerda e outros líderes udenistas que pularam do barco, desta vez foram Sérgio Moro e os novos liberais do Movimento Brasil Livre. Ao invés de converter esse abandono em força eleitoral, o que se viu foram as forças do liberalismo conservador caírem no limbo da irrelevância política, depois de terem sido instrumentalizadas e vampirizadas pelo populismo reacionário.

## O Regime Militar como modelo de bom governo

O Governo Bolsonaro se constrói no cruzamento de três referências principais que lhe servem de norte. Em primeiro lugar, a do Regime Militar como modelo de bom governo. A imagem do Regime Militar alimentada pelo atual reacionarismo, porém, deve pouco a trabalhos históricos elaborados por professores conservadores, em matéria de processo político, econômico ou social, que geralmente enalteciam a capacidade do regime de gerar crescimento econômico sem prejuízo da ordem pública. Pode-se dizer também que ela corresponde pouco à autoimagem que os próprios generais-Presidentes faziam do regime militar à época de sua duração. A imagem positiva que a extrema-direita alimenta do período militar foi aquela desenvolvida quando ele terminou desmoralizado pela acusação de violações reiteradas de direitos humanos, na primeira década da Nova República. Seus responsáveis foram radicais do Exército, interessados em defender a imagem da corporação contra as numerosas acusações de violação de direitos humanos formulados em obras como *Brasil Nunca Mais* (1985), publicados por líderes religiosos favoráveis à redemocratização. Duas são as principais fontes dessa boa imagem do Regime Militar, reduzido a um período de heroica resistência do povo brasileiro contra o comunismo. A primeira é o manuscrito conhecido como *Orvil: tentativas de tomada do poder* – cartapácio de quase mil páginas redigido anonimamente na caserna em torno de 1985, destinado a fazer a justificativa dos atos praticados pelos militares no período.[68] Em *Orvil*, as Forças Armadas são apresentadas como as patrióticas protetoras do Brasil e de sua democracia de raízes culturais cristãs contra a vasta conspiração comunista que a ameaça desde a década de 1920. O polo inimigo é formado por subversivos profissionais, políticos oportunistas e corruptos; jornalistas e professores marxistas, e estudantes manipulados pelo imperialismo soviético e cubano, sempre conspirando às escuras ou às claras para tomar o poder. Nesse quadro de guerra permanente, o golpe de 1964 e o regime autoritário que lhe seguiu surgem como um remédio amargo que os militares teriam sido obrigados a tomar para salvar a democracia do radicalismo esquerdista. Ao longo dessa guerra justa travada contra a subversão, em legítima defesa da Pátria atacada, as violações aos direitos humanos são invariavelmente atribuídas a acidentes ou negadas como não tendo ocorrido. Elas seriam produto de uma bem-sucedida campanha difamatória movida pelos subversivos, na forma

---

[68] MACIEL, Lício; NASCIMENTO, José Conegundes do (Coord.). *Orvil*: tentativas de tomada de poder. Brasília: Schoba, 2012.

de uma "guerra psicológica",[69] que lograra transformar os mocinhos (os militares) em bandidos e vice-versa aos olhos da sociedade.

A segunda fonte do Regime Militar como modelo do bom governo – porque é um governo que combate o comunismo – é *A verdade sufocada*, livro de memórias do coronel reformado Carlos Alberto Brilhante Ustra, que foi o primeiro militar condenado pela prática de tortura no período autoritário.[70] Tendo como pano de fundo a narrativa do *Orvil*, que apresenta o Regime Militar como a época gloriosa da defesa da democracia brasileira contra os assaltos do comunismo, Ustra se coloca em suas memórias não como um vulgar e cruel torturador, mas como um herói. Ele se apresenta como o arquétipo do soldado exemplar, patriota e pai de família, cristão e varonil, que dedicou a vida a defender o povo contra o terrorismo, a vagabundagem, o ateísmo, a dominação estrangeira e a perversão de costumes. Depois de uma vida de sacrifícios, ao invés do justo reconhecimento, o coronel reformado teria sido vítima de uma campanha de difamação dos "comunistas" revanchistas, travestidos agora em defensores dos direitos humanos. O ativismo pelos direitos humanos seria a nova forma adquirida pelo comunismo; e a Nova República, o regime no qual os antigos comunistas, agora no poder, se desforrariam dos militares. Em suma, o coronel se coloca como um mártir, vítima da ingratidão e da injustiça,

---

[69] TEIXEIRA, Mauro Eustáquio Costa. "A democracia fardada: imaginário político e negação do consenso durante a transição brasileira (1979-1988)". *Aedos*, nº 13, vol. 5, ago./dez. 2013.

[70] USTRA, Carlos Alberto Brilhante. *A Verdade sufocada*: a história que a esquerda não quer que o Brasil conheça. Brasília: Ser, 2006.

perseguido injustamente pelos criminosos que combateu ao longo da vida em defesa da pátria. O destino de Ustra ilustraria o opróbrio a que o conjunto dos militares teria sido relegado na democracia, desvalorizada e humilhada por seus antigos inimigos num *crescendo* até a instauração da Comissão Nacional da Verdade (CNV).

Esse teria sido o pináculo do processo de inversão da realidade, por meio da qual as verdadeiras vítimas – os heróicos militares, alguns dos quais mártires da liberdade, tombados em luta contra os "terroristas comunistas" – foram convertidos em cruéis e sádicos algozes pelo revisionismo da CNV, conduzido pelos militantes da revolução comunista interrompida, cujo maior exemplo seria a Presidente da República, Dilma Rousseff, ela mesma "terrorista" na juventude. Essa imagem das forças armadas e da polícia como vítimas de uma campanha de difamação promovida por criminosos travestidos de defensores de direitos humanos foi popularizada da década de 1990 por programas policiais, como o *Cadeia Nacional,* de Luiz Carlos Alborghetti, cujo estilo guarda estreitas similitudes com o do ideólogo de Bolsonaro, Olavo de Carvalho.[71] O estilo caótico, vulgar e irresponsável de entretenimento de figuras como Alborghetti antecipava o "fascismo troll" atual, explorando o deboche a respeito dos direitos humanos e a violência contra "vagabundos", e apresentando policiais e militares sempre como heróis da família brasileira.[72] Para ele e para Olavo, a república de 1988 seria

---

[71] ROCHA, Camila. *Menos Marx, mais Mises*: o liberalismo e a Nova Direita brasileira. São Paulo: Todavia, 2021.

[72] Já em 2009 o apresentador qualificava Bolsonaro como um "deputado tipo Alborguetti", que "fala na cara, vai pra tribuna e abre e vai pra porrada". YOUTUBE. "Alborghetti fala sobre respeito que tem por

muito mais "ditatorial" do que o regime militar, onde ainda haveria espaços de sociabilidade para o oposicionista. Na Nova República, a hegemonia esquerdista tornava o ambiente irrespirável a qualquer que dela discordasse, contrariando os postulados do "politicamente correto":

> Vivemos numa ditadura muito pior que a dos militares. Os militares colocavam, no máximo, um agente em cada redação. Hoje os agentes do petismo são dezenas, centenas em cada organização de mídia, espionando, fiscalizando, censurando, delatando. Não há comparação possível. Chega de fingir que existe democracia no Brasil. Eleições e partidos de oposição (repletos de comunistas) existiam também na ditadura militar.[73]

Durante as investigações da CNV, um obscuro deputado do Rio de Janeiro começaria a ganhar destaque na imprensa, agindo publicamente para tentar barrar as investigações em locais suspeitos de sediarem torturas e execuções e recuperando o discurso do *Orvil* e de Ustra contra as atividades da comissão.[74] Seria o começo de uma exposição pública mais ampla de Jair Bolsonaro na imprensa brasileira.

---

Jair Bolsonaro". *Youtube*, 24 mai. 2019. Disponível em: https://www.youtube.com/watch?v=TKB-6-kZ3wE. Acessado em: 15.07.2022.

[73] CARVALHO, Olavo de. "Post: 'o desmantelamento completo da máquina golpista da esquerda'". *Post do Facebook*, 2 dez. 2014. Disponível em: www.facebook.com/carvalho.olavo/photos/a.275188992633182/411841992301214/?type=3. Acessado em: 15.07.2022.

[74] ALMADA, Pablo Emanuel Romero. "O negacionismo na oposição de Jair Bolsonaro à Comissão Nacional da Verdade". *Revista Brasileira de Ciências Sociais*, vol. 36, nº 106, 2021.

## O anticomunismo redivivo

Na confusa diversidade de posições manifestadas nas ruas em 2013, uma delas destacou-se, ganhando mais força a partir das grandes mobilizações pró-*impeachment* em 2015: o anticomunismo. Cartazes com os dizeres "não à ditadura comunista no Brasil" ou "chega de doutrinação marxista" ilustraram a identificação entre o governo petista e o avanço do projeto comunista no Brasil. De maneira resumida podemos explicar o anticomunismo como um discurso que pressupõe que a esquerda, por meio da conquista eleitoral do poder, estaria operando lentamente um solapamento das instituições e dos valores democráticos no país; o projeto ultrapassaria assim a simples busca pelo sucesso eleitoral, mas seria sustentado efetivamente por sua parte "oculta", que revelaria uma vinculação internacional entre projetos políticos diversos com finalidade revolucionária.

Uma das principais fontes da retórica anticomunista tem sido a vinculação histórica entre o PT e outros partidos e movimentos revolucionários de esquerda, através do Foro de São Paulo. Em artigo para o blog da Veja, o jornalista Felipe Moura Brasil sintetiza a perspectiva anticomunista sobre a organização, definida por ele como "o maior inimigo do Brasil e do continente nas últimas décadas".[75] Criado em 1990 por Lula e Fidel Castro, o Foro de São Paulo articula projetos políticos em toda a América Latina, construindo uma rede de solidariedade entre partidos e movimentos de

---

[75] BRASIL, Felipe Moura. "Conheça o Foro de São Paulo, o maior inimigo do Brasil". *Veja*, 31 jul. 2020. Disponível em: http://veja.abril.com.br/blog/felipe-moura-brasil/conheca-o-foro-de-sao-paulo--o-maior-inimigo-do-brasil/#. Acessado em: 06.06.2022.

esquerda. Porém, o Foro não reuniria apenas partidos políticos: as FARC – movimento revolucionário de guerrilha colombiano ligado ao narcotráfico – tiveram participação na organização, atestadas por declarações de um de seus líderes à Folha de São Paulo, Raul Reyes, e do ex-Presidente venezuelano Hugo Chávez. A participação de políticos e intelectuais orgânicos do PT nos encontros do Foro – como Marco Aurélio Garcia, José Dirceu, Valter Pomar, Raul Pont, além do próprio Lula – reforça a importância dada ao evento. O artigo da Veja expõe longamente um conjunto de provas mostrando a conexão entre o PT e o Foro de São Paulo, sintetizando, em verdade, os esforços que um grupo de jornalistas e ativistas políticos em torno de Olavo de Carvalho realizaram desde 2002 no portal "Mídia Sem Máscara" para recolher material mostrando a vinculação do projeto de esquerda brasileiro com um movimento maior da esquerda revolucionária latino-americana.

O que seria uma legítima arma de combate político--eleitoral – ressaltar a vinculação do PT com os partidos e movimentos de esquerda para mobilizar o voto conservador – converteu-se em uma tentativa de vincular a totalidade das ações políticas e administrativas do PT ao esforço para realizar o "movimento revolucionário" no Brasil. A teoria do "comunismo" passou a ser mobilizada para explicar todas as alianças políticas, as decisões econômicas e as agendas sociais da esquerda: a aliança com partidos de direita por meio da divisão de cargos no executivo e da corrupção e desvio do recurso público, os acordos com o grande empresariado nacional e com os bancos, as tentativas – mesmo tímidas – de impor uma agenda vista pela esquerda como progressista no campo dos costumes, a tentativa de regular a imprensa, tudo isso seria explicado pelos esforços de um grande projeto de cooptação da sociedade civil e de aparelhamento do Estado em direção a um projeto político revolucionário. Essa lógica não deixa de fora, evidentemente, os avanços sociais: políticas de transferência de renda e de redução da pobreza dos anos petistas não seriam senão formas de converter as massas miseráveis em um exército disponível para o projeto político da esquerda.

A retórica anticomunista tem uma longa história no Brasil. Seu uso tem sido instrumento para organizar forças políticas desde os anos 20.[76] O célebre "plano Cohen" – uma suposta conspiração comunista forjada entre os integralistas, segundo testemunho de seu maior líder, Plinio Salgado – foi usado pelo general Góes Monteiro como instrumento para justificar a suspensão do regime constitucional durante o Estado Novo.[77] Durante a República de 46 a 64 a retórica anticomunista ganharia grande influência na opinião pública com o surgimento da UDN; a expressão "udenismo" passou desde então a manifestar um moralismo de classe média contra a mobilização populista das massas, o comunismo e a corrupção promovida pelo Estado varguista. O udenismo tem uma longa permanência no debate político brasileiro, presente em discursos que apontam os vícios inerentes ao modelo varguista de Estado e as virtudes de uma sociedade civil que busca organizar-se de maneira independente.[78]

---

[76] MOTTA, Rodrigo Patto Sá. *Em guarda contra o perigo vermelho*: o anticomunismo no Brasil (1917-1964). Niteroi: EDUFF, 2020.

[77] O testemunho de Plínio Salgado sobre o plano Cohen encontra-se em: TRINDADE, Hélgio. *A tentação fascista no Brasil*. Porto Alegre: Editora da UFRGS, 2016.

[78] CHALOUB, Jorge. "Os resquícios de 1964: populismo e udenismo no debate político atual". *Revista Insight Inteligência*, ano XVII, nº 65, 2014.

As manifestações contra a corrupção no governo Dilma demonstram uma notável presença de elementos "udenistas": a forte mobilização das classes médias, a identificação entre o tamanho do Estado e a corrupção, a tentativa de distinguir a mobilização da sociedade civil independente e democrática, e as massas manipuladas pelos partidos e movimentos sociais irrigados com as *benesses* do Estado. Seu exemplo mais saliente é o discurso do MBL. As crenças em uma cruzada contra a corrupção e contra a esquerda associaram-se nas manifestações de 2015 para atribuir uma nova "explicação" para os problemas do Estado brasileiro: os últimos 13 anos de governo petista não haviam apenas mantido o modelo corrupto, ineficiente e populista de Estado erigido na Era Vargas; agora ele também serviria ao projeto revolucionário da esquerda em direção ao solapamento dos valores e da liberdade política.

O argumento anticomunista está sustentado, sobretudo, em um recurso retórico de pouca capacidade analítica, mas de grande força persuasiva: o movimento em direção a um suposto processo revolucionário explicaria, então, qualquer tipo de ambiguidade real entre a ideologia política da esquerda e as concessões oferecidas à "direita" – os bancos, o empresariado, os partidos – durante o período de governo, que precisariam ser cooptados através dos favores do Estado capturado. A evidente coerência entre determinados movimentos e projetos políticos da esquerda com a agenda "comunista" reforça o argumento, totalizando alguns elementos e produzindo uma explicação global e verossímil do fenômeno político. Ao fim, a própria oposição ao governo petista seria, em verdade, apenas um factoide criado para dar aparências de democracia ao processo de busca de hegemonia, na medida em que o próprio PSDB – de origem social-democrata, a despeito de sua identidade fortemente liberal – seria uma vertente do "socialismo Fabiano".[79] Todo esse processo aponta para o que o politólogo francês Pierre-André Taguieff indicava como as duas etapas fundamentais do extremismo: simplificar e denunciar.[80]

## O "lulismo às avessas" como o modelo de liderança carismática

Ideologias políticas não dizem respeito apenas a ideias e discursos, ou a representações sobre o que o mundo social é e o que ele deveria ser. Ideologias também são estratégias discursivas de ação política ou de confrontação dos adversários no debate público, visando a conquista de corações e mentes que possa ser traduzida em apoio político – eleitoral ou não. Por isso, muitas vezes uma ideologia pode adotar como estratégia de ação política caminhos que parecem muito estranhos no nível puro das afinidades entre ideias. O aparente paradoxo de ter Lula como modelo de liderança carismática se explica pela lógica especular do conservadorismo.[81] Bolsonaro sempre admirou o ex-Presidente como liderança carismática capaz de se comunicar diretamente com as massas, representando-as como expressão de um povo brasileiro "autêntico". Lula comanda o maior, mais organizado e disciplinado

---

[79] Disponível em: http://midiasemmascara.org/arquivos/ 2015-07-08-19-51-31/. Acessado em: 27.06.2022.
[80] TAGUIEFF, Pierre-André. *La Foire aux Illuminés*: ésoterisme, teorie du complot, extremisme. Paris: Fayard, 2005.
[81] FREEDEN, Michael. *Ideology*: a very short introduction. Oxford: Oxford University Press, 2003.

partido do país e consolidou-se como seu líder inconteste, tornando-se maior do que ele (o "lulismo"). Passou a gozar de uma posição política que lhe permitia partir de um piso mínimo de 30% em qualquer eleição.

De um modo geral, os estudos sobre o lulismo preferem focar em suas bases sociais de sustentação, mas evitam focá-lo do ponto de vista da significação ideológica da sua liderança.[82] Entretanto, é menos importante aqui saber o que Lula efetivamente é do que o modo pelo qual os bolsonaristas o percebem como exemplo a seguir, com a diferença da ideologia oposta. O ex-Presidente saberia ser radical em situações delicadas, mobilizando sua ala mais aguerrida de apoiadores para intimidar os adversários. Diante das críticas da imprensa liberal, o ex-Presidente saberia ameaçá-la com leis de "democratização" dos meios de comunicação e dirigir verbas de publicidade para uma mídia alternativa que lhe fosse favorável – os chamados "blogueiros sujos". Além de garantir sua hegemonia ideológica pelo espectro social, Lula teria supostamente conseguido aparelhar a Administração Pública, distribuindo cargos a acadêmicos e sindicalistas apaniguados; da mesma forma, a família de Lula também teria se beneficiado pessoalmente do período em que ele esteve na presidência. Nas eleições de 2014, o PT foi acusado de práticas desleais de propaganda, suscitando uma acusação de estelionato eleitoral que por pouco não culminou com a cassação da chapa pelo Tribunal Superior Eleitoral.

---

[82] Ver, por exemplo, o estudo mais importante sobre a ideia de "lulismo". SINGER, André. *Os sentidos do lulismo*: reforma gradual e pacto conservador. São Paulo: Companhia das Letras, 2012.

## CAPÍTULO II – O POPULISMO REACIONÁRIO NO PODER...

Contudo, não só Lula, mas a esquerda de maneira mais ampla seria um modelo importante para a construção de um discurso de mudança radical da sociedade que a guerra cultural do populismo reacionário colocou em marcha.[83] Historicamente, a esquerda tem apelado a reduções e simplificações radicais do conflito social e dos processos econômicos para mobilizar suas bases; o uso sem critério e intencionalmente pouco definido de palavras como "elites", "conservadores", "burguesia" e "fascismo", na busca do efeito político sobre os militantes e demais ouvidos simpáticos à agenda de esquerda alimenta em grande medida o espírito simplificador do extremismo conspiratório do qual a própria esquerda é hoje vítima. O ex-Presidente Lula se notabilizou por uma retórica inflamada contra as elites que "governam o Brasil há 500 anos",[84] produzindo não só o efeito de homogeneizar toda a história política que o antecedeu, ressaltando seu papel messiânico, mas especialmente ocultando que a governabilidade da administração petista dependeu em grande parte de uma conciliação com setores importantes das elites políticas e econômicas tradicionais. Mais recentemente, a vulgarização de um vocabulário relacionado aos movimentos identitários e

---

[83] A leitura de Antonio Gramsci por Olavo de Carvalho testemunha essa evidente exemplaridade das táticas de ação política da esquerda para o movimento reacionário brasileiro. Ver: CARVALHO, Olavo de. *A Nova Era e a revolução cultural*: Fritjof Capra e Antonio Gramsci. São Paulo: Vide, 2016.

[84] UOL. "'O que nós fizemos em 12 anos, a elite não fez em 100', diz Lula no ABC". *Uol Notícias*, São Paulo, 13 nov. 2015. Disponível em: https://noticias.uol.com.br/ultimas-noticias/agencia-estado/2015/11/13/o-que-nos-fizemos-em-12-anos-a-elite-nao-fez-em--100-diz-lula-no-abc.htm. Acessado em: 06.06.2022.

de minorias tem contribuído para fortalecer a busca por uma "identidade conservadora" contrastante. Da mesma forma, não faltam testemunhos e exemplos pontuais de intolerância ideológica da esquerda no ambiente acadêmico, o que fortaleceu o discurso da "doutrinação" da esquerda em escolas e universidades mobilizado pelos reacionários, como se casos isolados revelassem o funcionamento estrutural da universidade brasileira, "aparelhada" pelo discurso ideológico de esquerda.

Essa é a leitura que o populismo reacionário faz de Lula e da esquerda para tentar organizar em torno de Bolsonaro um "lulismo às avessas", baseado na identificação direta com o "povo", percebido, porém, pelas lentes do populismo reacionário. A imagem de Bolsonaro deveria ser fabricada como a de um Lula da direita, tendo igualmente cativo um terço do eleitorado, presidindo um partido personalista devotado a ele e a sua família, enfrentando a mídia liberal pela ameaça, pela demagogia e, se necessário, pela trapaça eleitoral. Dispensável dizer que a leitura reacionária faz de Lula uma caricatura – até porque Lula é um moderado que domina a linguagem radical e recorre a um populismo moderado – que, como mostra Idelber Avelar, recorreu sempre aos antagonismos retoricamente para, em realidade, gerir o seu mascaramento por meio de uma conciliação com as oligarquias partidárias;[85] ao passo que Bolsonaro é um radical que despreza as instituições e cuja retórica foi acompanhada desde o começo de atos explícitos contra o funcionamento do Estado de Direito democrático no Brasil.

---

85  AVELAR, Idelber. *Eles em nós*: retórica e antagonismo político no Brasil do século XXI. Rio de Janeiro: Record, 2021.

O público também é inverso. Como todo populista, Bolsonaro se apresenta como encarnação do povo na política. Mas a quem ele se refere como sendo "povo"? Afinal, a unidade do povo como singular coletivo é uma ficção.[86] Em uma democracia, o povo age como eleitorado e está sempre fragmentado em suas preferências quando convocado a eleger seus representantes. Cada ideologia em disputa acaba assim possuindo uma espécie de "classe universal", na forma de determinados grupos sociais que são considerados mais "autênticos" que outros na representação da totalidade do povo soberano. Uma vez que o "lulismo" é ideologicamente orientado pelos parâmetros gerais do socialismo moderado, isto é, social-democrata, ele privilegia o combate à desigualdade social. Por "povo" entende-se o composto de segmentos sociais que se julgam oprimidos pela dominação econômica, racial ou de gênero. São trabalhadores, operários ou camponeses; jovens, negros, mulheres e homossexuais, representados coletivamente em sindicatos, associações civis e movimentos sociais. Entende-se que também compõem o "povo" aqueles setores do funcionalismo encarregados da formulação de políticas públicas destinadas a atender aqueles setores, que são os professores, pesquisadores, artistas

---

[86] Como afirma o filósofo argentino Ernesto Laclau, o populismo se apropria da categoria "povo" como um *significante vazio* que permite construir uma cadeia de identidades entre demandas aparentemente desagregadas de parcelas da população. Essa identidade construída estabelece a fronteira entre o povo e o "outro", seu inimigo, determinando a dicotomia necessária para a reconstrução do conflito político fundamental que estaria oculto sob a máscara de uma sociedade de indivíduos autônomos representada pela democracia liberal. Ver: LACLAU, Ernesto. *A Razão Populista*. São Paulo: Três Estrelas, 2013.

e gestores ligados ao campo da educação, cultura, do meio ambiente e dos direitos humanos.

De forma inversa, ao reivindicar a representação do "povo", o populismo reacionário de Bolsonaro se refere a todos os segmentos sociais identificados pelo lulismo como defensores da opressão social e econômica. São os empresários, grandes ou pequenos, que exploram sua mão de obra e devastam o meio ambiente; os especuladores do mercado financeiro, os idosos, os brancos, os homens e heterossexuais, organizados em igrejas e associações militares. Entende-se como "o povo" um único setor do funcionalismo público: aquele encarregado de representar a ordem, ou seja, o aparato repressivo identificado com as forças armadas e as polícias, militares e civis. Todos esses setores se sentiram ameaçados pela secularização, pela garantia dos direitos do trabalho e pelo avanço da pauta identitária da nova esquerda que progressivamente lhes corroeram os micropoderes, exercidos principalmente na esfera doméstica.[87] Esses setores sociais são o "povo" do "lulismo às avessas" praticado por Bolsonaro.

## O trumpismo como o modelo de cultura política autoritária

Uma das principais fontes internacionais de inspiração para o governo Bolsonaro foi a vitória e o governo de Donald Trump nos Estados Unidos, modelo de populista reacionário. Trump explora de modo sistemático e deliberado, no plano

---

[87] CARDOSO, Adalberto. *Uma sociologia política do bolsonarismo.* Rio de Janeiro: Amazon, 2020.

político, o mal-estar do homem branco de classe baixa, de origem europeia, com a crise econômica e as transformações sociais da última globalização. A "decadência americana" é atribuída a uma desnaturação cultural da "América tradicional e autêntica", provocada pelo crescente contingente hispânico e afro-americano, e pelo predomínio de um *establishment* "globalista" de empresários, burocratas e intelectuais progressistas. A reação contra essa "elite" se dá pela adoção de um conservadorismo societal radical, reacionário e nacionalista, mas também antiestatista, fundado no imaginário de uma "boa e velha América", formada por famílias de pequenos proprietários rurais chefiadas por brancos.[88] De acordo com Steve Bannon, a América seria um povo concreto dotado de história, cultura, civilização, costumes e tradições baseadas no "sangue e solo".[89]

Bannon aposta em uma "metapolítica", segundo a qual a política derivaria da cultura. A mudança política decorreria exclusivamente de valores culturais que poderiam ser incutidos voluntariamente na coletividade, e não como resultados de mudanças socioeconômicas de longa duração, que levariam à racionalização, à secularização e à burocratização. São explicadas como produto simples de "lavagens cerebrais" operadas pela vontade de agentes sociais organizados, na forma de uma "guerra cultural". Por conseguinte, assim como os valores sociais deletérios do progressismo teriam sido incutidos na sociedade pela "Nova

---

[88] EMPOLI, Giuliano da. *Os engenheiros do caos*. Trad. de Arnaldo Bloch. 1ª ed. São Paulo: Vestígio, 2019, p. 64.
[89] TEITELBAUM, Benjamin. *Guerra pela eternidade*: o retorno do tradicionalismo e a ascensão da direita populista. Trad. de Cíntia Costa. Campinas: Unicamp, 2020.

Esquerda", eles poderiam ser combatidos por um movimento contrário de uma "Nova Direita", ou uma "direita alternativa" (*Alt-Right*). Direita radical essa cujos três pilares no plano da política interna seriam o nacionalismo econômico, uma política de segurança nacional e a desconstrução do Estado Administrativo.[90] Os objetivos da política externa populista reacionária também seriam basicamente três: fechar fronteiras, interromper o processo de globalização e retornar ao antigo modelo de Estados-nação culturalmente homogêneos e fechados entre si. Por isso, Bannon se esforça por organizar uma "Internacional Nacionalista" – que poderia ser melhor descrita como Neofascista –, que sirva de ponto de convergência para que reacionários de todos os quadrantes possam combinar estratégias e intercambiar experiências e tecnologias de manipulação digital.[91] Essa colaboração internacional teria já produzido consequências apreciáveis na geopolítica mundial, alterando os contornos do ciberespaço e desenvolvendo uma cadeia de pessoas capazes de empreender operações de desinformação em qualquer ponto do planeta.[92]

O trumpismo se apresenta como uma cabeça de ponte do "povo" contra o "sistema" e tenta atrair empresários e intelectuais ressentidos por sua exclusão dos círculos de prestígio social, esperançosos de se converterem em um "novo *establishment*". A produção de hegemonia passa

---

[90] BANNON, Steve; FRUM, David. *The rise of populism (The Munk debates)*. Edição de Rudyard Griffiths. Canada: Anansi Press, 2019.

[91] EMPOLI, Giuliano da. *Os engenheiros do caos*. Trad. de Arnaldo Bloch. 1ª ed. São Paulo: Vestígio, 2019, pp. 22/23.

[92] EMPOLI, Giuliano da. *Os engenheiros do caos*. Trad. de Arnaldo Bloch. 1ª ed. São Paulo: Vestígio, 2019, p. 26.

por tentar desacreditar a imprensa liberal e estabelecer uma comunicação direta entre o líder e seus seguidores nas redes sociais; bem como pela produção e divulgação de informações falsas ou distorcidas. Por um lado, Trump fomenta o culto à sua personalidade, convertendo o Partido Republicano em instrumento de sua política pessoal. Seus ministros devem ser suficientemente medíocres e servis, de modo a não se tornarem competidores e cumprirem todas as suas ordens, ainda que atentem contra a legalidade administrativa. Por outro, o Presidente cria deliberadamente polêmicas de caráter moral, a fim de mostrá-lo midiaticamente como o único personagem político relevante da vida nacional, em constante luta contra os inimigos do povo. A estratégia visa também a mobilizar permanentemente seus seguidores pela exploração do medo e do ódio ao diferente, atacados como traidores, depravados, esquerdistas ou corruptos em verdadeiros linchamentos digitais. Essa técnica de intimidação é justificada pela crença de que sem ela um "Presidente normal" nunca poderia fazer frente ao "poderoso sistema político" para fazer prevalecer "a vontade do povo". Daí a necessidade de mobilização permanente dos "cidadãos de bem" da América profunda, formada por famílias patriarcais, brancas e protestantes, armadas para defender sua "liberdade" contra os ataques dos "comunistas" entrincheirados na grande mídia progressista e nos aparelhos do Estado. A intimidação autoritária também faz parte do arsenal de guerra, na crença de que um "Presidente normal" nunca poderia fazer frente ao "poderoso sistema político" e fazer prevalecer "a vontade do povo".[93]

---

[93] LEVITSKY, Steven; ZIBLATT, Daniel. *Como as democracias morrem*. Rio de Janeiro: Zahar, 2018.

O modelo demagógico trumpista, replicado no Brasil pelo populismo reacionário bolsonarista, adota a mesma "guerra cultural" como meio de desmoralizar o prestígio das elites políticas e culturais, promovendo a confusão, a dissonância cognitiva e a inversão informacional.[94] Seu negacionismo é um derivado da crítica do Iluminismo, que revaloriza o papel da religião e o ocultismo na definição da verdade. Para enfrentar as fontes produtoras da opinião pública, responsáveis pela validação de uma visão secular e objetiva do mundo e comprometidas com os valores democráticos, o negacionismo se vale da "liberdade de expressão" para refutar a realidade apresentada pela imprensa, pela ciência e pela academia. Tudo pode ser ressignificado conforme as exigências utilitárias da "narrativa", que não tem compromisso com a coerência e pode mudar conforme as circunstâncias. A terra pode ser plana, o nazismo pode ser de esquerda, o liberalismo pode ser compatível com a ditadura, a democracia pode ser autoritária, um conservador moderado pode ser comunista. Na impossibilidade de disputarem em igualdade de condições, por um mecanismo de inversão, os reacionários desmoralizam a credibilidade de seus opositores, tratando-os invariavelmente como desqualificados ou simples agentes ideológicos – embora sejam justamente suas narrativas as menos suscetíveis de validação científica. Jornalistas, intelectuais e cientistas passam a ser tratados como inimigos. A estratégia de intimidação se completa no limite com recurso a técnicas fascistas de intimidação, como o grito, o xingamento, a violência física.

---

94 HARTMANN, Andrew. *A war for the soul of America*. 2ª ed. Chicago: Chicago University Press, 2019.

## O neoliberalismo e a interface com o mercado

O último elemento da ideologia reacionária é aquele representado pelos economistas neoliberais, encarregados de gerir a economia para atender às demandas da parte mais selvagem do mercado. Durante o processo de construção da campanha presidencial de 2018, Bolsonaro encontrou no economista Paulo Guedes alguém disposto a oferecer-lhe um discurso econômico capaz de atrair setores do empresariado, do capitalismo financeiro e das classes médias simpáticas à promessa de desmonte sistemático do Estado – privatizações, "flexibilização" da legislação trabalhista, diminuição radical dos funcionários de carreira da Administração Pública etc. A utopia colonial dos reacionários, bem como seu desejo de libertar a sociedade brasileira de toda a regulação estatal que supostamente a impediria de dar vazão plena à sua verdadeira natureza, que seria conservadora, apresenta estreitas afinidades com a visão de mundo da ala neoliberal que compõe a coalizão governista. Daí o ódio comum de ambos os grupos – o dos reacionários e o dos neoliberais – pelo Estado, suas funções reguladoras, a proteção dos trabalhadores, do patrimônio histórico, do meio ambiente, da educação e da cultura, bem como aos seus servidores públicos, atacados como uma casta de aproveitadores comunistas. O bandeirantismo sertanista de Jair Bolsonaro é avô do darwinismo social de Paulo Guedes, para quem a função principal da economia brasileira é a de abastecer o mercado das metrópoles com *commodities* agrícolas, tal como ocorria no século XIX.

Em épocas de polarização e crise aguda do Estado de Direito, quando as instituições parecem indiferentes ou hostis à cultura do liberalismo, nasceu frequentemente entre os liberais brasileiros a *tentação do golpismo*. Desde 1889, o liberalismo nacional tendeu a encarar este recurso como legítimo em momentos críticos, para salvar a liberdade contra seus inimigos. Quem melhor representou essa ambiguidade foi o próprio Rui Barbosa. O temor do reinado reacionário da princesa Isabel o fez embarcar no golpe militar e a se tornar Ministro da ditadura republicana, interpretada por ele como um autoritarismo transitório que preparava um Estado de Direito mais sólido, conforme o figurino estadunidense. Depois de combater o militarismo de Floriano e Hermes, Rui voltou a cogitar a intervenção do Exército no começo dos anos 1920, quando lhe pareceu que a República marchava para o autoritarismo. O golpe de 1964 também foi apoiado por liberais como um breve período de exceção destinado a afastar o risco de ameaça comunista e promover as eleições de 65 em "ambiente seguro". Na prática, em todas essas ocasiões, os liberais brasileiros só participaram de uma "jornada de otários", que precipitou o advento de um autoritarismo de direita que terminou por persegui-los.

Em matéria econômica, os liberais brasileiros acompanharam o princípio geral da liberdade de mercado, admitindo a intervenção do Estado para corrigir suas eventuais falhas. Intervenções eram feitas para minimizar o atraso e criar condições de funcionamento de um mercado ainda incipiente. Embora se imagine sempre uma correlação automática entre liberalismo econômico e político, esta relação ao longo dos últimos três séculos é mais complexa e nem sempre de fácil distinção. Se a liberdade de mercado é parte das liberdades modernas, o foco sobre a liberdade política, aquela plasmada na forma dos direitos e das garantias constitucionais, distingue o liberalismo político daquele que via na independência da competição o objetivo principal de uma ordem social liberal. A este último poderíamos chamar de *libertarianismo* ou *neoliberalismo*.

Surgido por volta de 1880 como reação ao processo de democratização política, impulsionado pelo socialismo e pelo alargamento do sufrágio, o libertarianismo consiste em um híbrido de liberalismo e conservadorismo: ao mesmo tempo em que apresenta características liberais, como o individualismo, eleva a competição econômica à condição de geradora e ordenadora da vida social, intangível porque produto de forças extra-humanas – uma suposta "ordem espontânea" do universo social fruto da interação não planificada entre os indivíduos. Inicialmente, o libertarianismo bebeu nas doutrinas de Herbert Spencer, que fazia uma defesa radical do individualismo e da propriedade privada como formas de organização "natural" da sociedade, a serem protegidos pelo Estado sob pena de destruição da civilização. Depois da Primeira Guerra Mundial, ele seria restabelecido em outras bases pela "Escola Austríaca" de Mises e Hayek.[95] Os neoliberais apresentam seus argumentos em uma roupagem supostamente "técnica" ou "científica", defendendo suas posições como as únicas "realistas", não capturadas pela tentação idealista e normativa da mentalidade planificadora e maximizadora da ação do Estado que teria marcado as ideologias democráticas desde o século XVIII e que poderia ser encontrada tanto nos liberais quanto nos socialistas. A afinidade entre liberalismo e conservadorismo não constitui novidade para os neoliberais brasileiros: Osvaldo de Meira

---

[95] MERQUIOR, José Guilherme. *O liberalismo antigo e moderno*. São Paulo: É Realizações, 2013.

Penna, em seu livro "O Dinossauro" iguala o significado dos termos "neoliberal" e "liberal-conservador".[96]

E se é verdade que ambas as tradições liberais podem ter uma aproximação instrumental com o autoritarismo, os neoliberais também a tem com o Estado de Direito. De todo esse diagnóstico negativo dos libertários econômicos sobre a situação do Brasil resultava um descompromisso ainda maior com a democracia liberal. A necessidade de um choque civilizador de capitalismo vindo de fora justificava métodos autoritários. A marca acentuadamente demofóbica estava presente nos fundadores libertários da República, como os irmãos Alberto e Campos Sales, que ajudaram a urdir o golpe de 1889 contra os liberais e defendiam a toda força o presidencialismo, na crença de que só um governo forte e enérgico poderia enfrentar o "socialismo". No século XX, Eugênio Gudin e Roberto Campos demonstravam idêntico descaso com o regime democrático. As Constituições de 1946 e 1988, que não correspondiam às suas doutrinas, eram produtos da ignorância e da utopia. Como nenhuma resolvia os problemas do país, duravam pouco e mereciam por isso o desprezo geral.

Para os neoliberais, o Brasil estaria sempre patinando entre a barbárie e a estupidez, carecendo constantemente de abertura comercial e financeira para o mercado exterior. Aqui, empreender teria muito mais obstáculos a enfrentar devido à ausência de uma cultura moderna, ou seja, capitalista. Em contraste, os países do Atlântico Norte costumam

---

96 PENNA, José Osvaldo de Meira. *O Dinossauro*: uma pesquisa sobre o Estado, o patrimonialismo selvagem e a nova classe de intelectuais e burocratas. São Paulo: T. A. Queiroz, 1988.

ser referenciados como exemplares por obedecerem aos seus princípios. O cosmopolitismo neoliberal demonstra, coerentemente, grande apreço a organismos internacionais – mas não os de caráter político, como a Liga das Nações, ou a ONU, e sim pelos financeiros, como o FMI, bancos e empresas multinacionais, organismos indispensáveis para a regulação econômica. Ao Brasil caberia, assim, adequar-se aos critérios internacionais para "atrair investimentos" e gerar crescimento econômico. Para tanto, a reforma do Estado e a "desburocratização" da mão-de-obra seriam fundamentais para um ciclo neoliberal de crescimento no Brasil.[97]

O ponto fraco dos neoliberais tem sido sempre a impopularidade de seu programa, que os leva a aliar-se frequentemente a soluções autocráticas. Essa aliança motivou boa parte do discurso bolsonarista contra o legado petista de aumento do Estado, irresponsabilidade fiscal e aparelhamento das políticas econômicas em favor de um processo revolucionário oculto. Para esse discurso, o empresariado seria a grande vítima do Estado brasileiro, que sofre com os sindicatos, a burocracia do Estado, os impostos. A Administração Pública, nesse sentido, deveria retomar parâmetros puramente técnicos com vistas a promover as respostas necessárias para o funcionamento de um mercado ideal. Essa já conhecida ficção plutocrática do neoliberalismo, que vende a solução da reforma do Estado como única saída para a imobilidade econômica, não é nova

---

[97] GLOBO NOTÍCIAS (G1). "'Será um grande erro não investir no Brasil', diz Paulo Guedes". *Economia*, 20 out. 2020. Disponível em: https://g1.globo.com/economia/noticia/2020/10/20/sera-um-grande-erro-nao-investir-no-brasil-diz-paulo-guedes.ghtml. Acessado em: 06.06.2022.

no Brasil, e estava presente de algum modo em vários dos governos brasileiros desde a redemocratização. Contudo, com Bolsonaro, pela primeira vez ela foi bem sucedida aliada eleitoralmente a um claro discurso reacionário, e não mais como parte de um discurso geral sobre ampliação das liberdades e globalização, o que Nancy Fraser chamou de "neoliberalismo progressista".[98] O discurso neoliberal ofereceu não só o suporte econômico que faltava a Bolsonaro, mas uma "alternativa" para a crise econômica iniciada durante o governo Dilma: dado que o Estado foi o operador fundamental do "projeto esquerdista" no país, seu desmonte não só iria ao encontro das ambições reacionárias por uma sociedade autogovernada, mas desfaria, de um só golpe, o instrumento fundamental do projeto comunista no Brasil.

---

[98] FRASER, Nancy. "Progressive Neoliberalism versus Reactionary Populism: a Hobson's Choice". *In*: GEISELBERGER, Hans (Coord.). *The great regression*. Cambridge: Polity Press, 2017.

# CAPÍTULO III

## ESTRATÉGIA POLÍTICA E ORGANIZAÇÃO DO POPULISMO REACIONÁRIO NO PODER

## A teoria "democrática" do populismo reacionário

No dia 31 de maio de 2022, em discurso em Jataí (GO), o Presidente Jair Bolsonaro reafirmou que os "cidadãos de bem" precisavam se armar para "defender a pátria". Uma tentativa de fraudar as eleições de 2022 viria sendo armada pelo Poder Judiciário, justificando a fiscalização do processo eleitoral pelas Forças Armadas. Em um aparente paradoxo, o ataque do Presidente às instituições foi apresentado como uma defesa da democracia: "Somos um povo livre e tudo faremos para que o povo continue livre, apesar da tentativa de alguns para mudar nosso regime. Nosso regime é o democrático", declarou o Presidente. O mesmo acontece em relação à Constituição. Os continuados ataques de Bolsonaro aos demais poderes são sempre apresentados como constitucionais. Em entrevista recente à jornalista Leda Nagle, Bolsonaro criticou o Supremo Tribunal, guardião da Constituição, por agente da inconstitucionalidade: "Há muito tempo eles estão fora das quatro linhas (...). É uma obsessão para tentar me tirar daqui, ou me tornar inelegível, ou fazer com que eu perca as eleições".[99] Em outras palavras, na opinião do Presidente

---

[99] ESTADÃO. "Bolsonaro liga Moraes a Alckmin e acusa ministros do STF de agirem para impedir sua reeleição". *Estadão*, 15 jun. 2022.

da República, as contínuas violações da Constituição não partiriam dele, mas do próprio Supremo Tribunal, que de vítima passa à condição de agressor. Como explicar esse aparente paradoxo?

É que a "teoria democrática" do bolsonarismo nada tem de verdadeiramente democrática. Embora povoado por um número mais ou menos estável de conceitos ("democracia", "autoridade", "ordem", "família", "liberdade" etc.), o vocabulário político é organizado e mobilizado no espaço público por diferentes ideologias, que filtram a realidade política conforme seus valores predominantes. Assim, conservadores privilegiam a autoridade em detrimento da liberdade e da igualdade; os liberais, por sua vez, preferem a liberdade; e os socialistas, por fim, a igualdade. Cada um atribui também significados diferentes a cada um daqueles conceitos. As três ideologias referidas se orientam por interpretações algo discrepantes da Constituição. Conservadores se apegam às regras que favorecem a família e a religião. Os liberais privilegiam a liberdade individual, característica da sociedade civil. Já os socialistas se agarram à igualdade social dos trabalhadores e, ultimamente, minorias étnicas e de gênero. As três interpretações são compatíveis com a democracia liberal, desde que razoáveis do ponto de vista do conjunto de seus princípios e regras.

Isso não acontece com a ideologia reacionária que impulsiona o populismo reacionário. Surgidos em reação aos ideais da Revolução Francesa, reacionários são antimodernos

---

Disponível em: www.estadao.com.br/politica/bolsonaro-liga-moraes-a-alckmin-e-acusa-ministros-do-stf-de-agirem-para-impedir--sua-reeleicao. Acessado em: 15.07.2022.

que perseguem a utopia medievalista de uma comunidade dominada por sacerdotes, chefes de família e suas milícias. Não creem em valores universais nem em relativismo de valores, mas na hierarquia natural de uma comunidade dividida entre os bons (os fiéis) e os maus (os hereges). Abominam o progresso trazido pela ciência, pela razão e pela laicidade, percebendo o liberalismo político como a antessala do comunismo e do ateísmo. O reacionarismo foi adaptado ao mundo das massas graças às técnicas de propaganda (rádio e cinema) difundidas pelo fascismo e suas variantes ibéricas (integralismo, salazarismo e franquismo). Foi então que surgiu sua teoria de uma "democracia iliberal". A realidade da política seria aquela de uma nação definida como uma comunidade étnica e cultural homogênea. A vontade nacional se manifestaria por intermédio de uma ditadura cesarista, cujo líder fosse aclamado pelas multidões. A característica da política moderna residira no antagonismo irredutível entre a nação e seus inimigos internos e externos. O povo seria mobilizado por mitos de origem, que lhe garantiriam a identidade grupal. Conflitos seriam resolvidos pelo líder supremo por meio da decretação do estado de exceção, supressor das liberdades individuais.

O principal formulador da tese da democracia iliberal nas décadas de 1920 foi o católico reacionário alemão Carl Schmitt. É verdade que ele reconhecia o advento da modernidade como produto de um processo de secularização, que trouxera o capitalismo, a ciência e a burocratização. Concordava, igualmente, com a tese de que as ideologias eram resquícios secularizados de formas religiosas de intelecção do mundo. Entretanto, orientado por um modo católico ultramontano de pensar a política, Schmitt criticava aquela mesma modernidade como incompatível com a "essência do político", cuja característica maior residia na capacidade que teria o soberano de decidir de maneira incontestável, sempre que estivessem em jogo valores transcendentes para a comunidade. A política era definida por Schmitt como luta: "O antagonismo está no universalmente humano".[100] Ele não acreditava nem desejava que o antagonismo pudesse ser domesticado pelo racionalismo liberal. A dimensão teológica da ideologia estava associada aos "mitos" criadores da identidade nacional:

> Nenhum sistema político pode sobreviver sequer a uma geração com simples técnica e afirmação do poder. Ao político pertence a ideia, pois não há nenhuma política sem autoridade e nenhuma autoridade sem um *ethos* de convicção.[101]

Para Schmitt, o liberalismo não passava, também, de uma teologia protestante de índole romântica, abstrata, voltada para esvaziar a dimensão concreta e agonística da política, pela consagração do primado das relações econômicas, do pluralismo partidário, do federalismo, da separação de poderes e dos freios e contrapesos. Mas eram tentativas baldadas. A "essência" da política não estava na rotina da legalidade, imanente, neutra, burocrática e impessoal, mas nas situações de exceção, que suspendiam aquela rotina e revelavam a "verdade do poder" em toda a sua inteireza.

---

[100] SCHMITT, Carl. *Catolicismo romano e forma política*. Prefácio, tradução e notas de Alexandre Franco de Sá. Lisboa: Hugin, 1998, p. 44.
[101] SCHMITT, Carl. *A crise da democracia parlamentar*. Trad. de Inês Lohbauer. São Paulo: Scritta, 1996, p. 31.

## CAPÍTULO III – ESTRATÉGIA POLÍTICA E ORGANIZAÇÃO...

Como os milagres divinos e os golpes de Estado, a decretação da ditadura revelava, para Schmitt, o "verdadeiro soberano" e o caráter transcendente e existencial da política:

> A filosofia da vida concreta não pode subtrair-se à exceção e ao caso extremo, mas deve interessar-se por ele. Para ela, a exceção pode ser mais importante do que a regra, não por causa da ironia romântica do paradoxo, mas porque deve ser encarada com toda seriedade de uma visão mais profunda do que as generalizações dos repetidores medíocres. A exceção é mais interessante que o caso normal. O normal não prova nada, a exceção prova tudo; ela não só confirma a regra, mas a própria regra vive da exceção. Na exceção, a força da vida real rompe a crosta de uma mecânica cristalizada da repetição.[102]

Schmitt admitia que, em uma sociedade secularizada, não era possível reproduzir a admirável teologia política do Antigo Regime, cujas doutrinas do catolicismo, da razão de Estado e do absolutismo exprimiam com fidelidade a "realidade política". Por outro lado, na conjuntura de crise do liberalismo entre as duas guerras mundiais, ele acreditava na possibilidade de recuperar e atualizar aquela teologia para organizar uma verdadeira democracia de massas. A unidade e a homogeneidade do corpo político, outrora garantida pela Igreja e pelo príncipe, poderiam ser restauradas por um Estado totalitário, que rompesse com o anacrônico sistema parlamentar pluripartidário do liberalismo. Schmitt

---

[102] SCHMITT, Carl. *A crise da democracia parlamentar*. Trad. de Inês Lohbauer. São Paulo: Scritta, 1996, p. 94.

estabelecia uma distinção completa entre liberalismo e democracia: "A crença no sistema parlamentar, num *government by discussion*, pertence ao mundo intelectual do liberalismo. Não pertence à democracia. O liberalismo e a democracia devem ser separados".[103] Livre da ideologia burguesa, a democracia "verdadeira" se expressava por intermédio de uma ditadura cesarista, cujo líder fosse aclamado pelas multidões. Por isso, Schmitt considerava positivamente o fascismo de Mussolini como a expressão viva do "princípio da realidade política" na contemporaneidade.[104] O "realismo político" passava pela afirmação da irredutível singularidade cultural de cada nação e na satisfação de suas necessidades existenciais, através da mobilização de mitos: "O mito mais forte está no sentimento nacional".[105] Daí por que o pacifismo era uma impossibilidade: a guerra era a expressão necessária da luta pela identidade e existência das nações, e que a noção cosmopolita de uma única humanidade não passava de "um ideal sem atividade política".[106] Representada pelo Estado, a nação se tornara a personagem central da "realidade", devendo ser apreendida como unidade particular, homogênea e indivisível, rompidas as neutralizações operadas pelas tentativas de autonomização da sociedade civil e do mercado pelos liberais:

---

[103] SCHMITT, Carl. *A crise da democracia parlamentar*. Trad. de Inês Lohbauer. São Paulo: Scritta, 1996, p. 10.

[104] SCHMITT, Carl. *A crise da democracia parlamentar*. Trad. de Inês Lohbauer. São Paulo: Scritta, 1996, p. 70.

[105] SCHMITT, Carl. *A crise da democracia parlamentar*. Trad. de Inês Lohbauer. São Paulo: Scritta, 1996, p. 69.

[106] SCHMITT, Carl. *La notion du politique & Théorie du partisan*. Traduit de l'allemand par Marie-Louise Steinhauser. Préface de Julian Freund. Paris: Flammarion, 1992, p. 73.

## CAPÍTULO III – ESTRATÉGIA POLÍTICA E ORGANIZAÇÃO...

> Nação significa, frente ao conceito geral de povo, um povo individualizado pela consciência política de si mesmo. Diversos elementos podem cooperar para a unidade da Nação e a consciência dela: língua comum, comunidade de destinos históricos, tradições e recordações, metas e esperanças políticas comuns (...). Um Estado democrático que encontra seus pressupostos de sua democracia na homogeneidade de seus cidadãos, se corresponde com o chamado princípio da nacionalidade, segundo o qual uma Nação forma um Estado e um Estado encerra dentro de si uma Nação.[107]

Esse modelo fascistizante de "democracia iliberal" estatuído por Carl Schmitt foi recuperado e adaptado pela direita radical nas últimas décadas. Único porta-voz da vontade popular, o populista reacionário ataca as instituições representativas como capturadas por uma minoria de inimigos do povo. Elites estrangeiradas identificadas com valores progressistas ou esquerdistas as viriam empregando de forma insidiosa para modificar a "essência" cultural da nação – religiosa, rural e patriarcal –, valendo-se de agentes ideológicos empregados na educação pública e nos veículos de comunicação. O populista reacionário promete assim por uma "revolução conservadora" restabelecer o idílico passado em que a nação vivia harmoniosamente com seus costumes tradicionais. Porque se percebe como a encarnação da vontade do povo soberano, o populista radical se considera autorizado a desrespeitar a independência ou autonomia das instituições representativas, a fim de dobrá-las

---

[107] SCHMITT, Carl. *Teoría de la Constitución*. Trad. de Francisco Ayala. Mexico: Editora Nacional, 1966, p. 268.

pela cooptação ou pela intimidação. Esse efeito poder ser conseguido pela adequada mobilização de seus seguidores mais radicalizados, que devem assim ser alimentados dia e noite com notícias que lhe instilem sentimentos de ódio ou frustração. Os ataques perpetrados pelo populista reacionário são extensivos às instituições de educação e cultura, como universidades e centros de pesquisa, assim como à imprensa tradicional, toda ela acusada de contribuir para a subversão informacional pelos valores modernos. Nem se diga que esse roteiro autocratizante é seguido de forma intuitiva por cada um dos populistas reacionários. O principal "marqueteiro" e ideólogo de Viktor Orbán na Hungria, Arthur Finkelstein, é discípulo confesso das teorias de Schmitt e foi provavelmente o responsável pela adoção oficial do conceito de "democracia iliberal" para designar o novo regime de contornos autocráticos. O conceito foi veiculado publicamente por Orbán em discurso pronunciado em 2014:

> A nação húngara não é um simples aglomerado de indivíduos, mas uma comunidade real, que deve ser organizada, reforçada e, na prática, construída. Nesse sentido, o novo Estado que estamos em vias de erguer na Hungria é um Estado "iliberal", não um Estado "liberal". Ele não nega os valores fundamentais do liberalismo, como a liberdade, mas, por outro lado, não faz dessa ideologia o elemento central da organização estatal.[108]

---

[108] EMPOLI, Giuliano da. *Os engenheiros do caos.* Trad. de Arnaldo Bloch. 1ª ed. São Paulo: Vestígio, 2019, p. 88.

A "democracia bolsonarista" segue à risca a cartilha reacionária de Schmitt, reposta em execução na Hungria por Orbán. Na forma de uma "democracia racial", o povo brasileiro seria composto por "cidadãos de bem" – chefes de família armados e organizados em milícias, sob a orientação espiritual de sacerdotes cristãos. A prosperidade do povo seria garantida pela liberdade de ação conferida aos donos de terra (os "senhores de engenho" convertidos em "agronegociantes") e os empreendedores com "instinto animal" (os "bandeirantes" convertidos em "neoliberais"). Nessa chave, a predação da natureza e a violência pela morte, pela doença ou por catástrofe são considerados acontecimentos naturais, sobre os quais não adianta chorar. Infelizmente, a harmonia da sociedade brasileira gestada na colonização teria sido perturbada a partir da segunda metade do século XX pela ameaça do "comunismo" – conceito "guarda-chuva" a que se associam toda a sorte de ideias e ações que ameaçariam sua suposta "essência". Liberais e socialistas – "maus brasileiros" – teriam então se apoderado do aparelho de um Estado cada vez mais intervencionista para impor uma cultura niveladora e relativista, de origem estrangeira, inimiga da família, da religião e da propriedade. Felizmente o Brasil fora salvo em 1964 pela intervenção das classes armadas, detentoras tradicionais de um "Poder Moderador" por elas empregado para preservar a "liberdade democrática" da nação. Claro está que, quando falam em defesa da democracia, os reacionários se referem ao estilo de vida daqueles "cidadãos de bem" cultores da religião, da virilidade e das armas típicos do período colonial. É por esse expediente retórico que, no populismo reacionário, a ditadura se torna democracia, e a democracia, ditadura.

De fato, finda a "democracia" da ditadura militar, o "povo" teria voltado a ter sua "liberdade" ameaçada pelos governos corruptos da democracia de 1988. Como na República de 1946, a prática da democracia liberal é mais uma vez percebida pelos reacionários como autoritária porque subversiva de sua cultura de "liberdade" ou "estilo de vida". A "teoria democrática" do populismo reacionário apresenta assim Bolsonaro como um "restaurador" da vontade popular, encarregado de restabelecer o primado da religião e dos chefes de família pelo abate do intervencionismo do Estado e sua redução à mero agente dos "cidadãos de bem". A eleição presidencial de 2018, que alça o ex-capitão ao Planalto, é por eles interpretada como o equivalente do golpe de 1964 – nova "revolução conservadora" a salvá-los mais uma vez do "comunismo" – hoje identificado com a proteção dos trabalhadores pelo Estado, como outrora, mas também do meio ambiente, do patrimônio histórico e das minorias de gênero e raça. A necessidade de "dobrar" os inimigos do povo incrustados nas instituições, pela violência se necessário, justifica o emprego continuado da intimidação, do suborno e da mentira como métodos de governo e administração. Dentre os inimigos a abater avulta o Supremo Tribunal, que não apenas se recusa a se inclinar à vontade soberana do povo encarnada pelo populista, como persegue seus críticos, violando a "liberdade de expressão" dos reacionários. A Justiça Eleitoral também se torna suspeita de conspirar contra a "democracia", urdindo uma fraude que impeça o "povo" de reeleger seu líder e liquidar sua "liberdade".

É aqui que se compreende a centralidade do "golpe de Estado" no populismo reacionário. Na teologia cristã primitiva, era a capacidade de produzir milagres que confirmava a origem providencial do líder do povo como "o eleito de Deus", emprestando-lhe carisma e legitimando a obediência, sobretudo em épocas de perigo à sua existência.[109] Recorde-se o exemplo célebre da abertura por Moisés das águas do Mar Vermelho, permitindo ao povo hebreu escapar à perseguição de seus escravizadores egípcios rumo à terra prometida. Desde pelo menos a obra de Donoso Cortès, no século XIX, o "milagre" que confirma a origem providencial do líder se tornou para os reacionários a capacidade que ele teria de desfechar um golpe de Estado e implantar a ditadura. Equivalente moderno do antigo "milagre", o golpe de Estado é assim apresentado pelo populismo reacionário como um ato de legítima defesa de um povo que, por intermédio das classes armadas chefiadas por seu comandante-em-chefe, seria capaz de derrotar em definitivo seus inimigos, restaurando para sempre sua "liberdade" de viver conforme os valores do cristianismo e do patriarcado – recurso último por que o líder reacionário protege a "verdadeira liberdade" do povo contra a criminosa liberdade revolucionária. A ditadura subsequente, por sua vez, se justifica na medida em que o Estado deve auxiliar a Igreja Católica, bastião da cultura nacional, a resistir à ameaça comunista, suspendendo excepcionalmente as garantias constitucionais para combater a heresia liberal e socialista.[110] Daí o esforço do populismo reacionário no sentido de destituir os chefes das Forças Armadas resistentes a aparentarem adesão ao seu projeto golpista, substituindo-os

---

[109] WEBER, Max. *Economia e Sociedade*. vol. 2. Brasília: Editora UNB, 2012, p. 326.

[110] Donoso faz a transição da linhagem de reacionários tradicionais como De Bonald para o nazifascismo de Carl Schmitt, que muito o admirava, tendo-lhe dedicado diversos ensaios. Ver: CORTÈS, Juan Donoso. *Ensayo sobre el catolicismo, el liberalismo y el socialismo*. Granada: Comares, 2006.

por outros, dispostos a encenar a adesão do conjunto dos militares à possibilidade de um golpe. Sem a encenação do poder absoluto do populista radical, torna-se difícil manter a narrativa de sua origem providencial junto aos seus seguidores, donde promana o seu carisma.

## A "teoria constitucional" do populismo reacionário

O sistema político de 1988 foi construído deliberadamente contra a herança autoritária do regime militar. A Constituição que lhe serve de baliza jurídica consagrou uma arquitetura institucional pautada por princípios e valores capazes de comportar governos liberais democráticos, como o de Collor e Fernando Henrique; social-democratas, como o de Lula e Dilma; e conservadores, como o de Sarney e Temer. A crise de legitimidade do sistema representativo entre 2013 e 2018 tornou possível, porém, a emergência de uma direita radical, inimiga do Estado de Direito da Nova República. Desde então, conforme referido, o fantasma do golpe tem assombrado a democracia brasileira. O questionamento do resultado da eleição presidencial de 2014 por Aécio Neves foi denunciado como "tentativa de golpe"; a Lava Jato, como um conjunto de sucessivos "golpes" em formas jurídicas (o "lawfare"); e o *impeachment* de Dilma Rousseff, como "golpe parlamentar". A própria eleição de Bolsonaro teria sido possível graças ao "golpe" da cassação dos direitos políticos de Lula pelo Supremo Tribunal Federal. Por fim, marcado por um populismo reacionário, cujo modelo de bom governo é justamente o regime militar, o governo Bolsonaro é obviamente incompatível com o sistema constitucional de 1988. Não pode governar senão tentando burlá-lo 24 horas por dia. O "golpismo" se tornou assim uma verdadeira ideia-força associada ao *modus operandi* do populismo reacionário, que não reconhece como legítimas as limitações opostas pela lei às suas condições de sua sobrevivência e reprodução.

Como qualquer constitucionalismo autoritário, o constitucionalismo do populismo reacionário não se orienta pela doutrina do *Estado de Direito*, pautado por princípios como o da legalidade, irretroatividade da lei, publicidade dos atos administrativos e da moralidade administrativa, e caracterizado por uma arquitetura institucional voltada para a contenção do arbítrio governativo, cujos pilares são a separação de poderes, os freios e contrapesos, o federalismo e o controle de constitucionalidade pelo Judiciário. Ao contrário. Herdeiro do absolutismo, o constitucionalismo autoritário se orienta pela velha doutrina da *Razão de Estado,* que preconiza a possibilidade de desrespeito à lei pelo governante sempre que ameaçado o valor supremo da "segurança nacional". Naturalmente, é o próprio governante que aí ajuíza do grau de periculosidade da referida ameaça, da mesma forma que ele tende invariavelmente a confundir a segurança da Nação com a sua própria segurança. Daí a busca incessante do constitucionalismo autoritário por juristas desfrutáveis, capazes de engendrar fórmulas jurídicas que lhes permitam escapar ao império da lei mediante interpretações capciosas e leis de exceção. Da doutrina da Razão de Estado se extraem duas técnicas de governo: a do *segredo de Estado*, que autoriza ao governante suprimir pela imposição do sigilo a publicidade de seus atos ou de seus agentes, e o *golpe de Estado*, ação violenta e fulminante destinada a neutralizar os inimigos da segurança nacional (isto é, a sua). Daí a frequente imposição por Bolsonaro do sigilo – às vezes de cem anos - sobre todos os atos administrativos sobre os quais recaiam suspeitas de práticas não-republicanas e o esvaziamento contínuo das garantias oferecidas pela lei de acesso à informação.[111] O sigilo não só visa a garantir a impunidade do agente administrativo que age de forma irregular em benefício do Presidente, mas a incentivar que outros façam o mesmo.

Quanto ao "golpe de Estado", o termo tem sido empregado com significados diferentes. O primeiro deles remete às ações praticadas diariamente pelo governo contra a Constituição com o objetivo de enraizar uma cultura autoritária. São "os golpes nossos de cada dia", praticados à luz de um *legalismo autocrático* que substitui a interpretação da lei conforme valores, princípios e precedentes constitucionais por outra, positivista, formalista e seletiva, voltada para justificar a expansão das prerrogativas presidenciais.[112] Consectário lógico do constitucionalismo autoritário baseado na

---

[111] A pretexto de assegurar a segurança de Bolsonaro, o governo impôs sigilo em pelo menos cinco casos rumorosos: 1) no cartão de vacinação do Presidente, para que ele pudesse continuar já vacinado sua campanha de oposição contra a vacina para enfrentar a Covid; 2) sobre os dados dos crachás de acesso de seus filhos ao Palácio do Planalto, a fim de preservá-los da acusação de *lobby*; 3) sobre o processo disciplinar do ex-Ministro da Saúde Eduardo Pazuello por violação de lei que proíbe a participação de militares em atos políticos; 4) sobre o processo pelo qual a filha do Presidente logrou ser matriculada em um colégio militar sem preencher os requisitos exigidos por lei; e principalmente, 5) sobre os encontros do Presidente com pastores lobistas envolvidos com corrupção no Ministério da Educação (EFRAIM, Anita. "Sigilo de 100 anos de Bolsonaro: relembre casos em que governo impôs medida". *Portal Yahoo notícias*, edição de 14 abr. 2022).

[112] SCHEPPELE, Kim Lane. "Autocratic legalism". *The University of Chicago Law Review*, vol. 85, 2017, p. 548.

democracia iliberal, o legalismo autocrático explora os pontos cegos do sistema jurídico para aparelhar a Administração, atacar as instituições encarregadas de limitar o arbítrio do Executivo e responsabilizá-lo por seus atos. É por essa forma que paulatinamente o populista reacionário erode os fundamentos do constitucionalismo liberal, até transformar a Constituição num pedaço de papel que comporte tudo que desejar. Governa-se por decretos ilegais, na esperança de torná-los fatos consumados pela lentidão do Congresso e do Judiciário. Aparelham-se os órgãos administrativos, com nomeação deliberada de pessoal inadequado e conivente. Vandalizam-se órgãos da educação, da cultura, da ciência, da saúde, dos direitos humanos e do meio ambiente, transformados em um misto de cabide de emprego e depósito de lixo. O sigilo é imposto indistintamente a todos os atos cuja publicidade prejudique a Administração, à revelia dos requisitos necessários para excepcionar a vigência do princípio da transparência. Banalizam-se as emendas à Constituição para fugir à fiscalização dos tribunais. Neutralizam-se pela cooptação e pela intimidação as instituições encarregadas de controlar os malfeitos do governo, como o Ministério Público, a Polícia Federal, o Tribunal de Contas e o Poder Judiciário. Todos esses atos são apresentados pelo legalismo autocrático como perfeitamente constitucionais. É do ponto de vista do legalismo autocrático que Bolsonaro declara "jogar dentro das quatro linhas" – ainda que com farta distribuição de catimbas, faltas e outras jogadas desleais, sob o olhar complacente de um árbitro por ele designado e devidamente comprado.

Já o segundo sentido da palavra "golpe" remete à sombra do "golpe de Estado" clássico. Dentro da arquitetura golpista, sua ameaça visa a desestimular pela ameaça velada de uma ruptura democrática a resistência da sociedade civil e das instituições de controle aos "golpes nossos de cada dia" praticados pelo legalismo autocrático. Este "golpe de Estado" clássico se daria aqui menos à maneira daquele de 1964, que elevou os militares ao poder – função que hoje, já teria sido exercida pela eleição de 2018 – do que àquele de 1968, que "legalizou" pelo Ato Institucional nº 5 a *razão de Estado* que orientava havia quatro anos o governo militar. A pedra de toque do golpismo, aqui, reside na interpretação teratológica do art. 142 da Constituição, segundo a qual ele teria conferido ao Presidente da República, na condição de comandante-em-chefe das Forças Armadas, um "Poder Moderador" que lhe permitiria em caso de crise impor sua vontade sobre o Legislativo e o Judiciário, na qualidade de "guardião da Constituição".[113] Essa interpretação se ancora em uma frágil construção doutrinária, que recicla elementos de três fontes. A primeira delas consiste na referida teoria reacionária de Donoso Cortès autorizando o golpe seguido de uma "ditadura da ordem" em caso de ameaça comunista, equivalente aos milagres do Antigo Testamento. A segunda fonte consiste na reelaboração por Carl Schmitt daquela mesma teoria, agora no contexto da crise da República de Weimar: caberia ao Presidente da República, e não ao Supremo Tribunal, o exercício do papel de guardião da Constituição, decidindo excepcionalmente de forma soberana durante crises ameaçadoras à segurança nacional. A terceira fonte reside na

---

[113] "Art. 142. As Forças Armadas, constituídas pela Marinha, pelo Exército e pela Aeronáutica, são instituições nacionais permanentes e regulares, organizadas com base na hierarquia e na disciplina, sob a autoridade suprema do Presidente da República, e destinam-se à defesa da Pátria, à garantia dos poderes constitucionais e, por iniciativa de qualquer destes, da lei e da ordem".

doutrina golpista brasileira, que legitima a intervenção dos militares na política sempre que os conflitos civis ameacem degenerar em guerra civil. Uma vez que já tratamos da primeira, consideraremos aqui a terceira, tradicional na história constitucional brasileira, e a segunda, cuja incorporação pelo populismo reacionário é muito mais recente.

Como se sabe, o Poder Moderador era um quarto poder atribuído ao Imperador pelo art. 98 da Constituição do Império para que velasse pela "manutenção da independência, equilíbrio, e harmonia dos mais poderes políticos".[114] Havia duas interpretações divergentes sobre sua natureza: uma liberal, e outra, conservadora. Para os liberais, o imperador atuava apenas como árbitro do sistema constitucional em ocasiões de crise entre os poderes, devolvendo o poder último de decisão ao eleitorado, pressupondo-se a maturidade da sociedade brasileira ("o rei reina e não governa"). Para os conservadores, porém, caberia ao imperador tutelar o sistema, pois a sociedade brasileira ainda seria incapaz de gerir-se por si mesma ("o rei reina, governa e administra"). Embora a república tenha extinguido o quarto poder, juristas e militares vieram desde então reivindicando sua herança. A doutrina do "cidadão togado", que encarregava os bacharéis de defenderem e efetivarem os valores da Constituição, sucedeu a interpretação liberal do Poder Moderador imperial, sendo mobilizada desde Rui Barbosa para combater as veleidades oligárquicas e autoritárias do

---

[114] BRASIL. *Constituição política do Império do Brazil*, de 25 de março de 1824. Disponível em: http://www.planalto.gov.br/ccivil_03/constituicao/constituicao24.htm#:~:text=Do%20Poder%20Moderador.-,Art.,harmonia%20dos%20mais%20Poderes%20Politicos. Acessado em: 27.06.2022.

Poder Executivo. Uma vez que o novo regime entregou ao Supremo o exercício último da jurisdição constitucional, sempre houve quem lhe atribuísse a condição de sucedâneo do Poder Moderador. Questão resolvida em 1988, na medida em que o art. 102 da Constituição atribuiu ao Supremo Tribunal "precipuamente, a guarda da Constituição". Entretanto, a imagem de imparcialidade política do tribunal acabou comprometida perante os demais poderes por três fatores: decisões progressistas em matéria de costumes, como aborto e casamento gay; aval conferido aos procedimentos questionáveis empregados pela Lava Jato para "salvar" a República e, depois, pela retirada daquele mesmo aval; e, por fim, a confusão entre seus poderes arbitrais e o de corte criminal de última instância e privativa da classe política.[115]

Contra o "judiciarismo" representado por Barroso, o populismo reacionário de Bolsonaro desenterrou a doutrina militarista do soldado como "cidadão fardado", herdeira da interpretação conservadora do Poder Moderador. O movimento tenentista já procurava "legalizar" suas revoltas, alegando que a Constituição conferira às Forças Armadas "a *função regulatória de volante da ordem social* – capaz de compensar os colapsos de funcionamento da máquina pública, provocados pelos excessos do povo e pelos arbítrios dos governos".[116]

---

[115] AVRITZER, Leonardo; MARONA, Marjorie. "A tensão entre soberania e instituições de controle na democracia brasileira". *Dados*, vol. 60, nº 2, 2017, pp. 359-393; NUNES, Jorge Amaury; NÓBREGA, Guilherme Pupe da. "Separação de poderes: o Judiciário fala por último?" *Migalhas*, 31 out. 2017. Disponível em: http://www.migalhas.com.br/ProcessoeProcedimento/106,MI268246,31047-Separacao+de+Poderes+O+Judiciario+fala+por+ultimo. Acessado em: 06.06.2022.

[116] TÁVORA, Juarez. *À guisa de depoimento sobre a revolução brasileira de 1924*. São Paulo: O combate, 1927, p. 90.

## CAPÍTULO III – ESTRATÉGIA POLÍTICA E ORGANIZAÇÃO...

José Américo de Almeida também defenderia pouco depois o intervencionismo militar:

> Se o Brasil estiver ainda a pique de regressar à desordem política, à corrupção pública, à inutilidade administrativa, o Exército saberá cumprir o seu dever de patriotismo, subtraindo-o de um mal maior, que é a sangria prolongada, a infecção mortal da nacionalidade. Mas para restitui-lo, depois de saneado, à ordem civil.[117]

O argumento da segurança nacional tornou-se o pilar do militarismo. O general Gois Monteiro advertia não ser "partidário da democracia liberal"; elogiava o fascismo e exigia leis de exceção para o combate ao comunismo: "O pior inimigo é o interno, não podendo existir uma nação, uma pátria minada pelo inimigo interno, e o Estado deve defender-se dele mais do que dos externos".[118] Já então a lógica judiciarista da normatividade afrontava a lógica militarista da excepcionalidade: Gois se opunha à introdução do controle concentrado de constitucionalidade no Brasil "porque seria a ditadura do Judiciário e [eu] prefiro a do Executivo".[119] Depois de quarenta anos esquecida desde o fim da ditadura militar, o populismo reacionário ressuscitou a doutrina para ameaçar descumprir decisões "ativistas"

---

[117] ALMEIDA, José Américo de. "Prefácio". *In*: MONTEIRO, Gois. *A Revolução de 30 e a finalidade política do Exército (esboço histórico)*. Rio de Janeiro: Andersen Editores, 1933, p. 23.

[118] AZEVEDO, José Afonso de. *Elaborando a Constituição Nacional*. Edição fac-similar. Brasília: Senado Federal, 1993, p. 273.

[119] AZEVEDO, José Afonso de. *Elaborando a Constituição Nacional*. Edição fac-similar. Brasília: Senado Federal, 1993, p. 897.

do Supremo.[120] O jurista reacionário Ives Gandra Martins deu verniz de legalidade ao golpismo bolsonarista: "Se um Poder se sentir atropelado por outro, poderá solicitar às Forças Armadas que ajam como Poder Moderador para repor (...) a lei e a ordem".[121]

Ocorre que, para além da tradicional doutrina militarista reafirmada por Ives Gandra, o populismo reacionário introduziu uma novidade, ancorada mais uma vez em Carl Schmitt, príncipe dos juristas autoritários. Diante da tese defendida por Kelsen, segundo a qual a guarda da Constituição caberia a um tribunal independente e neutro, armado do dever de declarar a inconstitucionalidade das leis, Schmitt preferira reivindicá-la para o Presidente do Reich, baseado em sua teoria da democracia iliberal. Alegava que a Constituição não era documento político e que, como tal, deveria ser guardada pela autoridade eleita pelo povo alemão para representar a unidade e a totalidade indivisíveis de sua cultura, recorrendo aos poderes

---

[120] A nota assinada pela presidência da República e pelo Ministro da Defesa declarava que "as FFAA [Forças Armadas] do Brasil não aceitam tentativas de tomada de Poder por outro Poder da República, ao arrepio das Leis, ou por conta de julgamentos políticos". BARBOSA, Bernardo. *Bolsonaro*: Forças Armadas não aceitam tomada de poder por julgamentos políticos. São Paulo: CNN Brasil, 2020. Disponível em: https://www.cnnbrasil.com.br/politica/forcas-armadas-nao-aceitam-tomada-de-poder-por-outro--poder-diz-bolsonaro. Acessado em: 14.07.2022.

[121] MARTINS, Ives Gandra. "Harmonia e independência entre os poderes?" *Consultor Jurídico*, 02 mai. 2020. Disponível em: https://www.conjur.com.br/2020-mai-02/ives-gandra-harmonia-independencia-poderes. Acessado em: 06.06.2022.

excepcionais que a Constituição lhe conferia.[122] Do casamento entre Carl Schmitt e a doutrina militarista da intervenção, surgiu a interpretação absurda defendida pelo governo: a de que, na qualidade de comandante-em-chefe das Forças Armadas, era o próprio Presidente o titular do suposto Poder Moderador. Ao pronunciar-se durante uma manifestação golpista que pedia o fechamento do Congresso e do Supremo Tribunal, Bolsonaro sintetizou o ponto de vista: "Eu sou, realmente, a Constituição".[123] Seu objetivo prático com essa espúria construção doutrinária não era outro, senão escorar-se no suposto apoio da classe militar para intimidar os outros poderes no livre exercício de suas competências. Era assim que ele ameaçava descumprir por meio de uma "intervenção militar constitucional" (sic) decisões indesejáveis do Supremo a respeito de sua família; resistir à eventual abertura do processo de *impeachment* deflagrado pelo Congresso ou aceitar a cassação de sua chapa eleitoral pelo Tribunal Eleitoral. E é assim que Bolsonaro tem tentado sistematicamente desestimular, na base do grito, qualquer veleidade de contê-lo.

---

[122] KELSEN, Hans. *Jurisdição Constitucional*. Trad. de Alexandre Krug. São Paulo: Martins Fontes, 2003; SCHMITT, Carl. *O guardião da Constituição*. Trad. de Geraldo de Carvalho. Belo Horizonte: Del Rey, 2007.

[123] CARVALHO, Daniel. "'Eu sou a Constituição', diz Bolsonaro ao defender democracia e liberdade um dia após ato pró-golpe militar". *Folha de São Paulo*, edição de 20 abr. 2020. Disponível em: www1.folha.uol.com.br/poder/2020/04/democracia-e-liberdade-acima-de-tudo-diz-bolsonaro-apos-participar-de-ato-pro-golpe.shtml. Acessado em: 14.07.2022.

## A estratégia retórica: o negacionismo estrutural

Todas as expressões ideológicas do reacionarismo populista se manifestam em uma estratégia fundamental, que perpassa todas as práticas políticas do governo Bolsonaro e de seus congêneres: o *negacionismo estrutural*. Com o início da pandemia do Covid-19, o termo *negacionismo* ganhou imensa projeção no debate público brasileiro.[124] Antes relegado a grupos marginais que, atuando em fóruns e outros espaços virtuais, articulavam discursos de negação de fenômenos como o aquecimento global, o Holocausto, o fato de que a terra é redonda, para citarmos apenas alguns exemplos, o tema do negacionismo ganhou projeção internacional em 2016, quando a eleição de Donald Trump para a presidência dos Estados Unidos colocou em destaque uma liderança mundial que negava publicamente a agência humana no aquecimento do planeta. Com Trump, o negacionismo deixou o espaço de debates marginais e se tornou um discurso de grande impacto, traduzido até mesmo na condução de parte das políticas do governo americano, como o abandono do acordo de Paris para o combate de mudanças climáticas.

A eleição de uma liderança de extrema-direita no Brasil colocou o país no mapa mundial dos discursos negacionistas. Como vimos, o Presidente Jair Bolsonaro baseou desde sempre uma boa parte de seu discurso na negação das perseguições e mortes promovidas pela ditadura militar

---

[124] SZWAKO, José; RATTON, José Luiz (Coord.). *Dicionário dos negacionismos no Brasil*. Recife: CEPE, 2022.

de 1964. Suas tentativas de prejudicar os trabalhos da Comissão Nacional da Verdade ajudaram a projetá-lo em nível nacional como um dos principais representantes de um discurso que associava a reparação dos crimes da ditadura a uma tentativa da esquerda de perseguir os "heróis" de 64, que salvaram o país do comunismo. Ao assumir a presidência, o discurso negacionista orientou boa parte dos posicionamentos do governo Bolsonaro. Fala-se muito em negacionismo a respeito da condução da política sanitária pelo governo federal, mas o fenômeno não se limita a esse ramo da Administração. Entendido como técnica de governo destinada a produzir uma realidade fictícia, o negacionismo do governo Bolsonaro é mais amplo, ou seja, estrutural. Esse negacionismo estrutural pretende criar uma realidade paralela onde vige um sistema diferente de causalidades e responsabilidades daquele do mundo real. Do ponto de vista ideológico, a origem desse negacionismo é tipicamente reacionária porque, almejando recuar para um tempo já desaparecido, começa por ter de negar postulados básicos da racionalidade moderna na descrição do funcionamento do mundo. Para se infiltrar na sociedade, esse discurso precisa atacar a imprensa, a ciência e a academia, que são as instâncias responsáveis pela geração de consensos sociais sobre o que seja a verdade no mundo moderno.

A modernidade é orientada pela busca da ampliação da racionalidade como fundamento da justificativa a respeito da verdade/falsidade das decisões. Em sociedades modernas, os discursos de natureza religiosa ou orientados por crenças tradicionais pertenceriam ao nível das particularidades individuais, e não poderiam, por princípio, orientar escolhas de natureza pública, que precisam justificar-se com base na racionalidade, ou seja, numa explicação cujas origem e consequências fossem universalmente compreensíveis. Em termos políticos, essa racionalidade seria traduzida em discursos capazes de informar a opinião pública, que, assim, tomaria decisões e escolhas baseadas no convencimento racional sobre a veracidade de um tema. Sabemos, contudo, que esse modelo ideal de maximização da racionalidade das escolhas construído ao longo dos séculos XIX e XX está longe de ser a realidade das democracias liberais nas sociedades modernas. A "opinião pública" é formada por um sem-número de discursos que mobilizam narrativas nem sempre comprometidas com sua justificação racional ou universal. Porém, é possível observar que em períodos de estabilidade, mesmo lideranças políticas muito divergentes em termos sociais e econômicos convergiam em alguns fundamentos da vida democrática moderna, tais como o valor da racionalidade científica, a importância das garantias de liberdades públicas, de pluralismo político, da preservação das instituições e de seu funcionamento razoavelmente autônomo.

 O negacionismo estrutural visa precisamente destruir a busca racional da verdade como fundamento da vida coletiva, tornando impossível o diálogo entre partes diferentes. Ele nega a relativa possibilidade de divergência racional na política e busca dividi-la entre amigos e inimigos inconciliáveis, tendo como horizonte a conquista de maiorias para justamente "regenerar" uma ordem estável perdida com o conflito. Trata-se de pensar a divergência política não como um antagonismo regulado por procedimentos, mas como guerra aberta, que exige suspensão da normalidade democrática e recursos excepcionais de Estado. A produção da verdade passa a ser uma função do Estado, que responsabiliza tudo o que de mal ocorre ao demônio ou a seus inimigos. O próprio caráter reacionário de seu populismo e seus vínculos com o fascismo precisam ser ocultados para facilitar a aceitação e a sedimentação da cultura política autoritária pela população e precipitá-la no radicalismo. Com uma mão, eles procuram apagar seus vínculos com o nazismo e o fascismo, classificando-os como regimes totalitários tão esquerdistas quanto o comunismo. Com a outra, ressignificam o conceito de conservadorismo para se apresentarem não como herdeiros do franquismo, do salazarismo ou do integralismo, e sim de gente respeitável como Burke ou Joaquim Nabuco. O resultado é ver gente radicalmente reacionária, que faz apologia do armamentismo e flerta com o fascismo, se denominando "conservadores" e invocando como seus supostos antepassados uma salada de personalidades díspares, tais como Bonifácio, Nabuco, Princesa Isabel, Pedro II, Churchill, João Paulo II e Olavo de Carvalho.[125] Os reacionários aprenderam a operação com os neoliberais, ou libertários econômicos, que reivindicam o rótulo de "liberais" quando não passam de defensores do regime plutocrático.[126] Quando articulado em um discurso político cujo objetivo é produzir antagonismo constante no espaço público, o negacionismo recusa toda explicação que não seja útil para seu projeto de dominação. Por isso figuras como Trump e Bolsonaro atacam a imprensa, a ciência e a academia. Para que negacionismos sejam convertidos em ganhos políticos, os líderes negacionistas precisam convencer

---

[125] Veja-se neste sentido o *décor* do programa "Terça Livre" de Allan dos Santos.

[126] Exemplo desse propósito de ocultação pela ressignificação no "Instituto Conservador-Liberal" de Eduardo Bolsonaro, cujo título é um oxímoro que conjuga ideias reacionárias e neoliberais (iclbr.com.br) e que dialoga preferencialmente com principados absolutistas do Oriente Médio e as autocracias de Vladimir Putin e Victor Orban.

o público de que eles são os agentes da providência, capazes de revelar a falsidade do mundo aparente e indicar o caminho para acessar as verdades ocultas. Essa estratégia retórica negacionista tem traços evidentes do discurso reacionário, para o qual os fundamentos do mundo moderno – a secularização, a relativização dos valores absolutos, o discurso científico, a democratização do acesso à cultura e informação – seriam corruptores da civilização judaico-cristã ocidental, caracterizada como uma sociedade homogênea e hierárquica em termos de valores e traços culturais e marcada pela precedência da autoridade religiosa sobre a razão. Portanto, negar e acusar o mundo moderno seria uma estratégia fundamental para "restaurar" os valores autênticos de nossa civilização corrompida.

O negacionismo opera por uma lógica de reversão dos valores de uma sociedade democrática. Conquistas democratizantes, que ampliam a proteção de direitos, as liberdades públicas, a participação política de parcelas antes excluídas da população, são convertidas pelo discurso negacionista em manifestações do mal, corruptor da civilização em declínio. Diante dessas ameaças, os negacionistas precisam inverter a lógica da vítima, colocando-se no lugar daqueles que eles pretendem atacar. Assim, o racismo é constantemente negado e, em seu lugar, se manifestaria um "racismo reverso" contra homens brancos, pais de família, ciosos dos valores tradicionais e religiosos. Da mesma forma, a expansão do reconhecimento de direitos e de identidades de gênero é interpretada pelos negacionistas como manifestação de uma "ideologia de gênero", estratégia de corrupção dos sexos naturais e de sua função na divisão dos papéis sociais e da família. A face oculta do negacionismo é o conspiracionismo, ou seja, a ideia de que aquilo que explica os fenômenos sociais, econômicos e políticos está sempre oculto. Assim, a "verdade" ocultada precisaria ser revelada por aqueles capazes de desvendar os segredos do poder e expô-los ao povo autêntico. O célebre historiador russo radicado na França, Léon Poliakov, chamava esse tipo de discurso conspiracionista de "causalidade diabólica", um esforço de explicar, a partir de elementos do senso comum observáveis por qualquer cidadão, a totalidade de um fenômeno social cujas causas seriam ocultas e de difícil compreensão para os "não iniciados". Ora, mas se esse discurso não é uma evidência científica, de que tipo de verdade estamos falando? Daquela que é revelada por indivíduos excepcionais, capazes de superar os discursos oficiais, comprometidos com os interesses ocultos das ideologias que dominariam o mundo contemporâneo: o "globalismo", a conspiração internacional comunista ou a propaganda chinesa. Eis, portanto, a estrutura fundamental do negacionismo e de sua utilidade para o populismo reacionário: o acesso aos fatos não depende do uso da razão e de seus critérios – a comprovação de uma causalidade –, mas de um suposto compartilhamento de informações não divulgadas pela ciência ou pelos meios correntes de comunicação de massa, somente acessíveis a homens e mulheres que tem a coragem de transpor a falsidade do mundo aparente e acessar o mundo das verdades ocultas.

Na prática, não há bobos nem inocentes nessa história. O negacionismo estrutural foi desenvolvido deliberadamente pelos populistas reacionários para encobrir pela desinformação o que eles produzem de mais ruinoso e contraditório. O importante é conciliar o inconciliável. Conciliar um governo eleito com a bandeira da ética, com favores às velhas oligarquias políticas e com amplo histórico de corrupção, sob a promessa de aparelhamento administrativo e blindagem da máquina pública. Ou conciliar a ideia de um governo eleito sob a bandeira da desestatização com a decisão de ampliar gastos de pessoal com os miliares, blindar as carreiras da magistratura da reforma administrativa ou ampliar o gasto com emendas parlamentares a níveis nunca vistos em governos anteriores. Para acobertar a contradição e a incoerência, o fracasso e o absurdo, é que se presta o negacionismo estrutural empregado pelo poder. Por isso atacam a imprensa, a ciência e a academia. Do púlpito dos padres ultramontanos, o reacionarismo clássico do século 19 prometia aos seus adversários o mármore do inferno. O fascismo do século 20 também soube usar o cinema e o rádio para difundir seu próprio negacionismo. Hoje, as mentiras negacionistas são difundidas com a mesma violência por meio das redes sociais.

No campo específico da saúde pública, o negacionismo serve para negar que a pandemia seja algo grave ou que tenha alguma coisa a ver com a morte de alguns milhões de pessoas pelo mundo. É "necropolítica", porque para o populista reacionário, salvar vidas com medidas sanitárias responsáveis importa menos do que sua própria sobrevivência política. Por isso, Bolsonaro apostou no individualismo antissocial da população para que "seguisse a vida" como se nada acontecesse e se enfurece sempre que prefeitos e governadores decretam medidas sanitárias restritivas. Porque essas decretações assinalam a gravidade do que está ocorrendo e expõem sua inação homicida. Bolsonaro adota então uma estratégia dupla para deslocar o foco de seu comportamento culposo. Primeiro, ele se exime de qualquer responsabilidade sobre a coordenação do combate à pandemia, mente sobre uma suposta decisão do STF que o teria proibido de agir, ou diz que está fazendo sua parte, ou que é vítima de um complô da mídia e de seus outros inimigos. Depois ele contra-ataca, acusando prefeitos e governadores de restringirem ilegalmente liberdades civis e incitando a desobediência civil. É nesse sentido que ele favorece a distribuição de armas, para alimentar a esperança de que o "povo" reacionário possa sempre, quando precisar, resistir à opressão.

Em síntese: deslumbrados pelo maremoto conservador operado pela via digital, cruzando as técnicas da "demagogia trumpista" e do "lulismo às avessas", tudo isso bem articulado em um negacionismo estrutural mais amplo, os estrategistas do Presidente acreditavam que ele poderia governar apenas para o seu público. Calculavam que, explorando o ódio antissistema e fidelizando cerca de 30% do eleitorado, consolidariam Bolsonaro como uma liderança equivalente à do Lula no campo da direita. O prolongamento do clima de terra arrasada favoreceria a submissão do Legislativo e do Judiciário pela intimidação. O repúdio ao "presidencialismo de coalizão" era peça mestra da exploração do "ódio ao sistema". Acharam que, tendo ao seu lado "o povo", poderiam prescindir de uma coalizão partidária, emparedando a esquerda e os moderados. Dois objetivos contraditórios seriam assim conciliados: satisfazer a indisposição do Presidente a transigir, de um lado, e impor a agenda radical, de outro. Nesse meio tempo, o núcleo reacionário iria aparelhando a Administração e, lentamente, usariam as prerrogativas presidenciais para ocupar cargos-chave no Ministério Público Federal, no Supremo Tribunal Federal e nas presidências da Câmara dos Deputados e do Senado Federal. Com a retomada da economia prometida e garantida por Paulo Guedes, a estratégia bastaria para angariar moderados em número suficiente para derrotar novamente a esquerda em 2022, explorando sempre o fantasma do "comunismo corrupto". Evidentemente, o processo não sairia de graça, porque todos os procedimentos empregados para aguentar uma situação subversiva dos valores constitucionais resultaria forçosamente em um processo de erosão democrática. Erosão necessária, todavia, para aclimatar o ideário reacionário na sociedade brasileira e institucionalizá-lo em um partido personalista, dirigido pelos filhos do Presidente e seus assistentes. Ele contaria, entre seus quadros, com os ministros e secretários que melhor explorassem a exposição pública obtida por meio de seus cargos junto ao eleitorado de direita, pela "lacração".[127] Este seria o Brasil de 2022 sonhado pela utopia reacionária de Bolsonaro.

## Populismo, impunidade e milícias: um projeto familiar de poder

Como os partícipes dessa coalizão ideológica se distribuem no interior das estruturas de poder do governo Bolsonaro? Um governo de ruptura reacionária, carente de raízes, precisa arranjar pessoas devotadas, assustar os dissidentes e destruir os concorrentes. Mas, ao contrário do PSDB e do PT, Bolsonaro assumiu sem quadros administrativos. Então foi preciso organizar esse "partido" em torno da família presidencial, aproveitando o acossamento das instituições. A fidelidade a essa camarilha foi o critério a partir do qual o Presidente organizou o seu pessoal de cima

---

[127] COUTO, Cláudio Gonçalves. "Macarthismo administrativo: controlar até a nomeação de pessoas para cargos de funções sem teor partidário, governo aparelha a máquina pública". *Valor Econômico*, São Paulo, 23 jan. 2020.

para baixo. Isso explica a subordinação permanente dos militares, cuja função é a serventia do "partido familiar". Como o prestígio da família como instituição começa com a própria, tudo é personalizado. Valores constitucionais como republicanismo e impessoalidade são banidos como espectros de um tempo subversivo.[128] Mas esse movimento de cima para baixo não basta. O governo precisa ampliar seu pessoal de baixo para cima. Nesse sentido, a perseguição à imprensa e os expurgos administrativos, acompanhados pela criminalização da oposição, servem para reafirmar a autoridade do governo, advertindo os subordinados para não alimentarem veleidades críticas, e incentivar os oportunistas a aderirem, especialmente os ressentidos pela falta de prestígio social. A adesão ao extremismo ideológico se torna escada para os candidatos a cargos na Administração,[129] que devem manifestar periodicamente adesão incondicional ao chefe do Estado, com todos os salamaleques do servilismo. O resultado administrativo não importa, desde que a "lacração" no Twitter agrade ao Presidente e à ala reacionária encarregada de gerir e promover a "guerra cultural".

À semelhança de Trump, Bolsonaro e seu programa de governo se confundem com um projeto familiar de poder. Diferentemente daquele, porém, sua família organiza-se há muitos anos como uma comandita suspeita de exploração

---

[128] AMADO, Guilherme. "Marido da nova Presidente do IPHAN foi segurança de Bolsonaro". *Revista Época*, Rio de Janeiro, 12 mai. 2020.

[129] FRANCO, Bernardo Mello. "'Governo não tolera críticas a Bolsonaro', diz pesquisador vetado na Casa Rui". *Jornal O GLOBO*, Rio de Janeiro, 26 jan. 2020.

dos cofres públicos por meio da corrupção.[130] Para além do puro e simples patrimonialismo, há também aqui uma justificação ideológica: porque manifestamente antiliberal e antirrepublicana, a direita radical despreza leis e instituições que aos seus olhos foram colonizadas pelos inimigos do povo. A imparcialidade institucional decorrente de princípios liberais e republicanos não passa de uma ficção inadmissível em uma "guerra" em que está em jogo a restauração da "vontade soberana do povo" que compreende o conjunto de famílias brasileiras. Os Bolsonaro acreditam, assim, na qualidade de "primeira família", terem legitimidade para desprezar os princípios constitucionais de moralidade administrativa e recorrer abertamente ao patrimonialismo e aparelhar o Estado. A família presidencial tem o dever, que lhe é conferido democraticamente pelo "povo" contra a "falsa liberdade" liberal, de recorrer a todos os meios disponíveis, legais ou ilegais, para se proteger contra os ataques de seus inimigos, que virão na forma de pedidos de *impeachment*, de instauração de comissões parlamentares de inquérito,

---

[130] Até 2019, Jair Bolsonaro e seus três filhos mais velhos, Flávio, Carlos e Eduardo, exerciam cargos públicos na Câmara dos Deputados, na Assembleia Legislativa do Rio de Janeiro e na Câmara Municipal da mesma cidade, respectivamente. Sempre empregaram parentes como auxiliares. São acusados da prática de "rachadinha", por meio da qual seus assessores eram obrigados a lhes devolver parte dos salários em dinheiro. A família Bolsonaro é assim suspeita de cometer crimes em série tipificados como corrupção passiva, peculato e concussão. Ver: ROSSI, Amanda; COSTA, Flávio; SÁ, Gabriela; PIVA, Juliana Dal. "Quebra de sigilos do caso Flávio revela indícios de 'rachadinha' em gabinetes de Jair e Carlos Bolsonaro". *Folha de São Paulo*, 15 mar. 2021. Disponível em: https://www1.folha.uol.com.br/poder/2021/03/quebra-de-sigilos-do-caso-flavio-revela-indicios-de-rachadinha-em-gabinetes-de-jair-e-carlos-bolsonaro.shtml. Acessado em: 27.06.2022.

# CAPÍTULO III – ESTRATÉGIA POLÍTICA E ORGANIZAÇÃO...

pedidos de cassação endereçados a conselhos de ética ou ações criminais. O objetivo de "restauração da autoridade" da "família tradicional brasileira" implica assim na impunidade da família presidencial e de todos os seus servidores, que devem ser colocados acima da lei. Erigida à condição de razão de Estado, a proteção da família presidencial exige a captura de todos os órgãos federais que digam respeito à sua segurança, como o Ministério da Justiça; a Agência Brasileira de Inteligência (ABIN); a Polícia Federal; a Receita Federal e a Advocacia Geral da União.[131]

Incumbido de assegurar o êxito de seu projeto familiar, indispensável à blindagem da família e perpetuação no poder, Jair Bolsonaro não tem qualquer interesse em assuntos de

---

[131] Trata-se da "segurança paralela", a que o Presidente se referiu na reunião de abril de 2020. Na ocasião, o Presidente Bolsonaro afirmou que ele tinha um sistema particular de segurança, formado por policiais que lhe eram pessoalmente devotados, o que não acontecia no sistema "público". Daí por que anunciava a mudança do comando da diretoria da Polícia Federal, tendo em vista a necessidade de ter ali alguém de sua confiança, capaz de blindar sua família e apaniguados contra investigações de corrupção que eram movidas por seus inimigos: "É a putaria o tempo todo para me atingir, mexendo com a minha família. Já tentei trocar gente da segurança nossa no Rio de Janeiro, oficialmente, e não consegui! E isso acabou. Eu não vou esperar foder a minha família toda, de sacanagem, ou amigo meu, porque eu não posso trocar alguém da segurança na ponta da linha que pertence a estrutura nossa. Vai trocar! Se não puder trocar, troca o chefe dele! Não pode trocar o chefe dele? Troca o ministro! E ponto final! Não estamos aqui pra brincadeira". É patente a ausência de qualquer noção entre público e privado, que o leva a acreditar ser a Administração patrimônio de sua família. Ver: MJSP. Polícia Federal. *Laudo N11 1242/2020*. Disponível em: https://static.poder360.com.br/2020/05/transcricao-video-reuniao22abr.pdf. Acessado em: 27.06.2022.

governo ou administração.[132] Como Presidente, ele precisa satisfazer as necessidades de seu populismo reacionário, em uma espécie de campanha eleitoral permanente. Faz *lives* semanais do palácio presidencial, nas quais fala diretamente para o "povo", vestindo-se de modo precário e falando palavras de baixo calão para simular autenticidade e simplicidade de costumes. Ao longo delas Bolsonaro justifica seu governo e ataca violentamente seus críticos como corruptos, esquerdistas e mentirosos. Sua outra atividade favorita é correr o país para apresentar-se como o símbolo de restauração da "boa e velha ordem", inaugurando obras iniciadas nos mandatos de seus antecessores (e sem lhes dar, claro, o devido crédito) e agradando suas bases de apoiadores em aparições nas quais figura quase sempre como "homem do povo", frequentando botequins, padarias, templos religiosos, acenando da beira das estradas ou promovendo "motociatas" no estilo de Mussolini para agradar sua clientela tradicional. O essencial é dar visibilidade para a "guerra cultural", sem demonstrar qualquer disposição para a conciliação ou a transigência. A "normalização" levaria à decepção do eleitorado entretido pelas expectativas disruptivas criadas pelo populismo reacionário, e à sua captura para outra liderança. Daí também a necessidade de Bolsonaro, especialmente quando acuado, de

---

[132] "A preocupação dos auxiliares palacianos, no entanto, está no lado mais fraco de Bolsonaro: tudo que esteja relacionado a gestão. O Presidente não governa. Passa os dias a contar piadas do Palácio. 'Nosso desafio é mudar essa postura do Presidente', reconhece o ministro". Ver: BONIN, Robson. "Como Bolsonaro se prepara para enfrentar Lula no debate diário até 2022". *Revista Veja*, 15 mar. 2021. Disponível em: https://veja.abril.com.br/blog/radar/como-o-governo-se-prepara-para-enfrentar-lula-no-debate-diario-ate-2022/. Acessado em: 06.06.2022.

simular o poder de desfechar um golpe de Estado por meio do "seu" Exército contra os seus inimigos.

Enfim, o papel principal de Bolsonaro é zelar pela preservação e expansão do "populismo reacionário" que sustenta nas ruas o seu projeto familiar junto aos radicais de direita, entretendo-os com seu repertório golpista e autoritário, para permanecer no poder. Paralelamente, a família presidencial trabalha em conjunto para criar um partido ou movimento de caráter personalista. Seja pela formação de um partido formal, como foi tentado com o *Aliança para o Brasil*, seja por meio da adesão a uma outra sigla já existente, como a recente filiação do Presidente ao PL, o controle absoluto de um partido é uma das exigências nas quais a família tem apostado sem êxito no longo prazo para garantir sua sobrevivência e blindagem com influência e poder no meio político. Até o momento, portanto, segue a estratégia do pai de parasitar sucessivamente diversos partidos de direita, preservando o grande trunfo de um "partido digital" de caráter antissistêmico, organizado e mantido do alto pelo "gabinete do ódio".[133] Na ausência de pessoal próprio, já que a vitória eleitoral se deu em um verdadeiro vazio partidário, o clã Bolsonaro enxerga o governo, inicialmente, como um instrumento privilegiado para fazer uma plataforma eleitoral permanente. Dotado de imensa visibilidade e inesgotáveis recursos, os recursos simbólicos, financeiros e hierárquicos do Estado devem ser canalizados para cumular as condições necessárias à organização de um grande movimento de direita radical,

---

[133] NOBRE, Marcos. *Limites da democracia*: de junho de 2013 ao governo Bolsonaro. São Paulo: Todavia, 2022, p. 116.

capaz de rivalizar com o Partido dos Trabalhadores. Do contrário, seria impossível a Bolsonaro cumprir o seu destino de encarnar para seu público o papel de "Lula da direita".

O projeto familiar de poder dos Bolsonaro não se exaure na mera blindagem contra os órgãos de controle supostamente dominados por seus inimigos "progressistas", mas também na sua expansão e enraizamento no espaço político, por meio da fundação de um partido personalista. Esse projeto exige ações preliminares de criação e de enraizamento de uma cultura política autoritária, e a criação de uma contra elite, ou seja, de um pessoal político e administrativo completamente novo, inteiramente devotado e dependente, ainda que incompetente, na luta pela hegemonia política, social e cultural ("a guerra pela informação"). Para se enraizar do nada de onde veio, o Presidente e seus filhos têm dilapidado os recursos do Estado para cooptar seus semelhantes em todos os subsistemas sociais. No terreno político, o populismo reacionário desenvolve um novo modelo de negócios, dedicado a explorar o ódio à democracia. Esse *rufianismo* ou *caftinagem democrática*, de que são expoentes deputados como Daniel Silveira, Carla Zambelli e Bia Kics, estendeu-se a comunicadores na tevê, no rádio e na internet. Atrás foram inúmeros políticos em fim de carreira ou buscando se relançarem, como Eduardo Cunha e Roberto Jefferson. Bastou-lhes falar em nome de Deus e empunhar fuzis antes de ameaçar de morte os Ministros do Supremo Tribunal para devolver-lhes notoriedade.

No terreno administrativo, o aparelhamento violento da Administração e de seus cargos de chefia permitiu também recrutar pessoal próprio, testado à frente de cargos de chefia. Na sociedade civil, os tentáculos do arrivismo reacionário se estenderam a militares golpistas, advogados, juízes e procuradores de terceira categoria, diplomatas carreiristas; artistas obscuros ou decadentes, docentes "pela liberdade" sem respeitabilidade acadêmica. A eles se entregou a direção do Estado na saúde, educação, cultura e ciência. Pouco importava o previsível desastre gerencial resultante do abandono dos princípios basilares da Administração. A única exigência era a fidelidade pessoal irrestrita à família Bolsonaro. Porque a impessoalidade é incompatível com semelhante projeto de poder, os princípios republicanos desapareceram. Corrupção, aparelhamento, afronta aos demais poderes, falta de transparência, ignorância da lei, má-fé administrativa e truculência contra servidores de carreira viraram rotina no Executivo Federal. A lacração inviabiliza a gestão, mas lança novos nomes a deputado para a futura ampliação da base bolsonarista. No campo do mercado, o populismo reacionário abriu as portas dos palácios e dos cofres públicos a todos os empresários "alternativos" em diversos segmentos econômicos, ressentidos por sua exclusão dos círculos de prestígio. Daí a emergência de nomes até então obscuros e de lisura duvidosa. A contrapartida oferecida pelo governo são ofertas e promessas de facilidades em contratos administrativos e impunidade administrativa e judicial.[134]

---

[134] Entre os inúmeros casos que revelam o *modus operandi* de aliciamento empresarial durante a pandemia está o caso dos experimentos com a Proxalutamida. A substância foi testada no Amazonas para averiguar se ela geraria efeitos positivos contra a Covid-19. O responsável pela pesquisa, Dr. Flavio Cardegiani, fez os testes numa rede hospitalar do grupo Samel, que divulgou resultados incrivelmente positivos. Bolsonaro e seu secretário de Ciência celebraram publicamente o êxito, que dispensaria *lockdowns* e o

Na ponta mais baixa da organização, Bolsonaro deseja recrutar milhares de partidários fanáticos e organizados informalmente em milícias armadas, em torno dos clubes de tiro. Não é por outra razão que a promoção do armamentismo contra toda legislação vigente ocupa um lugar tão importante em sua agenda populista. Esses fanáticos devem saber resistir em nome da "liberdade" defendida pelos Bolsonaro às tentativas de implantação da "ditadura comunista" de seus adversários políticos. Ainda que ele, paradoxalmente, afirme ter ao seu lado a fidelidade institucional das Forças Armadas, a que ele se refere como "meu Exército", Bolsonaro a evoca para reagir e virar ele mesmo, nesse caso, um "ditador do bem", à maneira dos generais do regime militar.[135] Na prática,

---

empenho na obtenção de vacinas. Ocorre que cerca de 200 dos 600 pacientes testados faleceram logo depois. Descobriu-se que a equipe de Cardegiani descumprira protocolos aprovados pela Comissão Nacional de Ética em Pesquisa (CONEP); que o desastre era obra de um "gabinete paralelo" montado por Bolsonaro para impor o negacionismo aos técnicos do Ministério da Saúde; que o secretário em questão era discípulo de Olavo de Carvalho; e que o Ministro Pazuello cooptara empresários de sua base política dispostos a sacrificar as regras de controle dos experimentos científicos. Por fim, soube-se que a rede hospitalar pertencia ao irmão de um deputado da facção estadual bolsonarista. A tragédia ilustra tanto a influência criminosa do reacionarismo e do negacionismo na política sanitária, como o método de cooptação empregado pelo governo para fazer da pandemia uma oportunidade para recrutar quadros empresariais que pudesse chamar de seus. Exemplos como este podem ser multiplicados às centenas nas mais diversas áreas de atuação do governo, desde a infraestrutura à cultura (LYNCH, Christian Edward Cyril. "Negacionismo e cooptação empresarial: Caso da proxalutamida expõe aliciamento para alavancar projeto de poder". *Folha de São Paulo*, São Paulo, 16 fev. 2022).

[135] SHORES, Nicholas; LAGUNA, Eduardo; GALVÃO, Daniel. "'Como é fácil impor uma ditadura no Brasil', diz Bolsonaro".

# CAPÍTULO III – ESTRATÉGIA POLÍTICA E ORGANIZAÇÃO...

esses movimentos se corporificam como mecanismos últimos de intimidação dos adversários políticos e institucionais de seu projeto familiar de poder, pela ameaça de uma arruaça ou guerra civil em caso de derrota eleitoral, como ocorreu no caso do Presidente Donald Trump nos Estados Unidos. O Presidente já expôs diversas vezes essa concepção do povo armado como garantia de sua liberdade contra o ataque de seus inimigos políticos:

> O que esses filha de uma égua quer, ô Weintraub, é a nossa liberdade. Olha, eu tô, como é fácil impor uma ditadura no Brasil. Como é fácil. O povo tá dentro de casa. Por isso que eu quero, Ministro da Justiça e Ministro da Defesa, que o povo se arme! Que é a garantia que não vai ter um filho da puta aparecer pra impor uma ditadura aqui! Que é fácil impor uma ditadura! Facílimo! Um bosta de um prefeito faz um bosta de um decreto, algema, e deixa todo mundo dentro de casa. Se tivesse armado, ia pra rua. E se eu fosse ditador, né? Eu queria desarmar a população, como todos fizeram no passado quando queriam, antes de impor a sua respectiva ditadura. (...) Eu quero dar um puta de um recado pra esses bosta! Por que que eu tô armando o povo? Porque eu não quero uma ditadura! E não dá pra segurar mais! Não é? Não dá pra segurar mais.[136]

---

*Terra*, 11 mar. 2021. Disponível em: https://www.terra.com.br/noticias/brasil/politica/como-e-facil-impor-uma-ditadura-no-brasil-diz-bolsonaro,f3e050c4c116cab263fecadd2e758128v7bl5tad.html. Acessado em: 06.06.2022.

[136] MJSP. Polícia Federal. *Laudo N11 1242/2020*. Disponível em: https://static.poder360.com.br/2020/05/transcricao-video-reuniao22abr.pdf. Acessado em: 27.06.2022.

## O núcleo da propaganda populista reacionária

A gestão política e administrativa do cotidiano é delegada por Bolsonaro aos dois grupos de que é composto o pessoal palaciano, que é quem efetivamente governa o país, e são referidos como "gabinete do ódio" e "das sombras". O primeiro e principal núcleo, que se pode chamar estratégico, é presidido pelos três filhos mais velhos de Bolsonaro e é encarregado da propaganda e, como tal, norteia o comportamento do Presidente como personagem público. Formado por reacionários radicais que flertam com o neofascismo, o "gabinete do ódio"[137] monitora a popularidade do Presidente nas redes, coordena ataques aos seus adversários e aconselha as ações políticas do Presidente no lugar dos ministros de Estado, de modo a satisfazer o imaginário do populismo reacionário de Bolsonaro como um político corajoso, autoritário e disruptivo, capaz de "romper com o sistema". Esse núcleo é o principal porque, embora haja divisão de tarefas em relação ao trabalho dos militares, dos neoliberais e dos membros do Centrão, em caso de conflito, o comportamento do Presidente permanece sendo orientado pela tática da propaganda ideológica reacionária, já que a família crê que os demais não possuem o mesmo caráter "estratégico" para o êxito de seu projeto de poder.

---

[137] SAID, Flávia. "Ex-aliados de Bolsonaro mostram como funciona o Gabinete do Ódio". *Congresso em Foco*, 29 mai. 2020. Disponível em: https://congressoemfoco.uol.com.br/governo/ex-aliados-de-bolsonaro-detalham-modus-operandi-do-gabinete-do-odio/. Acessado em: 06.06.2022.

# CAPÍTULO III – ESTRATÉGIA POLÍTICA E ORGANIZAÇÃO...

O núcleo reacionário radical está encarregado de promover o culto à personalidade do Presidente Bolsonaro e a difusão da cultura política reacionária e autoritária, segundo a qual a sociedade brasileira teria por base uma ordem social "natural" e harmônica, de índole cristã e patriarcal, garantida por pais de família viris e responsáveis pelo provimento de obedientes esposas e dos filhos. Como vimos, essa sociedade é imaginada como tendo existência em um estado de natureza anterior à existência do Estado brasileiro e está identificada com uma "civilização judaico-cristã ocidental" de inspiração medievalista, que rechaça valores como pluralismo, tolerância, Estado de Direito e laicidade típicos da modernidade liberal, republicana e democrática.

A ordem natural da sociedade viria sendo solapada por um equivalente da Internacional Comunista (o "Foro de São Paulo"), que pretendia dissolver os vínculos familiares tradicionais, apregoando o cientificismo, o ateísmo, o feminismo, a homossexualidade e o ódio racial. Essa campanha de perversão dos costumes seria financiada pela referida elite cosmopolita comunista, por meio de seus representantes intelectuais instalados nos aparelhos midiáticos e estatais, nas áreas de direitos humanos, meio ambiente, educação, cultura e relações internacionais. A emergência da "nova direita" no Brasil – formada por uma coalizão entre a direita radical coordenada nas redes sociais por discípulos de Olavo de Carvalho, neofascistas, neoliberais e figuras antes associadas à direita tradicional que se radicalizaram – é justificada como uma reação de legítima defesa do povo contra a subversão de seus valores baseados no cristianismo, no patriarcado, na heterossexualidade e na harmonia racial. Bolsonaro se torna "o Mito" por defender de modo desassombrada "a liberdade" das famílias contra a "ditadura" que os progressistas desejariam impor-lhes em matéria de costumes. É esse imaginário reacionário, pela primeira vez no poder na história do Brasil independente, que o núcleo do "gabinete do ódio" ausculta, explora e maneja pelas redes sociais, por si e seus colaboradores e *influencers* digitais, para fins de propaganda em larga escala. A "guerra cultural" é baseada em diversas técnicas desenvolvidas por Steve Bannon para promover a permanente intimidação dos críticos e das instituições, aproveitando abertamente a simpatia de grupos neofascistas.[138]

Conforme acontece quase sempre entre os movimentos de direita radical, muitas dessas técnicas modernas foram originalmente criadas pela "Nova Esquerda" e adaptadas pela "Nova Direita". Entre elas, encontram-se as seguintes:

1) Simular um poder maior do que aquele que você realmente tem;

2) Falar apenas a linguagem do seu próprio público;

3) Não jogar no terreno em que seu adversário tenha vantagem, obrigando-o, ao contrário, a jogar no

---

[138] Veja-se ainda a manifestação dos chamados "300" da ativista Sarah Winter em maio de 2020 em frente ao STF, inspirado em desfiles neonazistas. FOLHA DE SÃO PAULO. "Grupo pró-Bolsonaro protesta em frente ao STF com tochas e máscaras". *Folha de S.Paulo*, 31 mai. 2020. Disponível em: https://www1.folha.uol.com.br/poder/2020/05/grupo-pro-bolsonaro-protesta-em-frente-ao-stf-com-tochas-e-mascaras.shtml?utm_source=facebook&utm_medium=social&utm_campaign=compfb. Acessado em: 15.07.2022. Ver também: BALLOUSIER, Anna Virginia. "'Alvim é parte de um governo que flerta com ideias fascistas', diz pesquisador". *Folha de São Paulo*, São Paulo, 23 jan. 2020. Disponível em: https://www1.folha.uol.com.br/ilustrada/2020/01/alvim-e-parte-de-um-governo-que-flerta-com-ideias-fascistas-diz-pesquisador.shtml. Acessado em: 06.06.2022.

seu, onde ele não tem familiaridade, a fim de causar confusão, temor e retirada;

4) Ridicularizar o adversário, porque é quase impossível contra-atacar o ridículo;

5) Desenvolver táticas compreensíveis para seus companheiros;

6) Manter pressão constante, com táticas e ações diferentes, e utilizando tudo que acontecer para alcançar o seu propósito;

7) Espalhar boatos catastrofistas para manter o adversário acossado pelo medo;

8) Pressioná-lo sem trégua, de modo firme e consistente;

9) Jamais reconhecer seu erro ou fraqueza quando sofrer um revés, respondendo sempre com violência verbal e desmentindo o fracasso;

10) Polarizar o tempo inteiro, sem se preocupar com discussões racionais em termos de argumentos.[139]

Essas regras foram adaptadas pela direita radical ao ambiente digital na forma de um "fascismo troll" de grande eficácia, capaz de manifestar a militância política através de uma linguagem de entretenimento.[140] A fim de burlar o monopólio da mídia tradicional, o "gabinete do ódio"

---

[139] ALINSKY, Saul. *Rules for radicals*: a practical primer for realistic radicals. Nova York: Random House, 1971.

[140] CESARINO, Letícia. "Pós-verdade e a crise do sistema de peritos: uma explicação cibernética". *Revista Ilha*, Florianópolis, vol. 23, nº 1, 2021, pp. 73-96.

mantém o público reacionário encapsulado em uma realidade paralela, marcada pela paranoia, pelo ódio e pelo medo, alimentada diariamente pela difusão de boatos, notícias falsas e teorias da conspiração e, claro, pela denúncia de todas as informações produzidas pela mídia profissional, pela academia ou pela ciência como mentirosas e falsificadas. O conspiracionismo produtor de *fake news*, que gera fortes emoções, consome seis vezes mais tempo nas redes do que notícias verdadeiras. Projeta com mais rapidez populistas que exploram o modelo de negócios do ódio à democracia do que políticos tradicionais. O conspiracionismo também é sedutor para todos aqueles que estejam frustrados com o crescente abismo entre a mediocridade de suas vidas e as imensas possibilidades virtuais criadas pela tecnologia. O conspiracionismo entende o frustrado, responsabiliza um terceiro – o inimigo – como causador de seus males e catalisa seu ódio, o convidando a engajar-se na luta pela justiça – na prática, produzindo e retransmitindo as *fake news* pelas redes sociais.[141] A difusão de uma cultura política da desconfiança, baseada na mobilização permanente contra um inimigo que conspira dia e noite, favorece a obediência inquestionável ao líder crismado pela providência para representar e proteger o povo. O bloqueio sistemático dos críticos em suas contas nas redes sociais, efetuada por Bolsonaro,[142] forja uma fantasia da unanimidade em torno

---

[141] EMPOLI, Giuliano da. *Os engenheiros do caos*. Trad. de Arnaldo Bloch. 1ª ed. São Paulo: Vestígio, 2019, p. 51.

[142] COUTO, Marlen. "Bolsonaro bloqueia perfis de desafetos no Twitter; veja quem são". *O Globo*, 27 out. 2020. Disponível em: https://blogs.oglobo.globo.com/sonar-a-escuta-das-redes/post/bolsonaro-bloqueia-perfis-de-desafetos-no-twitter-veja-quem-sao.html. Acessado em: 06.06.2022.

## CAPÍTULO III – ESTRATÉGIA POLÍTICA E ORGANIZAÇÃO...

dele. Sua conta não é um lugar democrático, com espaço para crítica pelo cidadão. É um altar, cujo acesso é privativo dos fiéis para fim de adoração do seu ídolo.

Os representantes do reacionarismo na Administração se recomendam duplamente: primeiro, como seguidores ou simpatizantes de Olavo de Carvalho; segundo, por sua fidelidade pessoal à família Bolsonaro. Esse núcleo duro, central do projeto familiar de poder, dominou um número considerável de Ministérios, como os das Relações Exteriores, Meio Ambiente, Direitos Humanos, Comunicação, Educação e Cultura – esta última, humilhantemente rebaixada à condição de Secretaria do Ministério do Turismo. Do ponto de vista estratégico, a função desses ministérios passa menos por administrar do que por propagar a doutrina autoritária e o culto à personalidade do chefe do Estado e, ao mesmo tempo, dar visibilidade à "guerra cultural" contra o comunismo, provocando deliberadamente polêmicas, perseguindo e censurando servidores críticos. Segue-se aqui servilmente a cartilha de terra arrasada do governo Trump que, como se sabe, nomeou para áreas equivalentes personalidades conhecidas como inimigas ferrenhas de toda a atividade nelas exercidas em matéria de política pública. Assim, o Ministério da Educação ataca as Universidades Públicas e seus professores como subversivos, apostando em quadros ligados a centros evangélicos pentecostais ou na difusão de colégios militares. O Ministério das Relações Exteriores aposta em uma nova ordem mundial que reeditaria a "república cristã" da Idade Média, cuja nova Roma seria a Washington de Trump, afastando o Brasil de seus tradicionais aliados – inclusive a China – para aliá-lo a ditaduras asiáticas ou semiautocracias do leste europeu. Na Secretaria de Cultura, servidores são perseguidos politicamente por fazerem críticas à família do Presidente da República ou ao governo.[143] O Presidente da Fundação Palmares, voltada para promover a igualdade racial, nega diariamente a existência do racismo no Brasil. O Ministério do Meio Ambiente esvazia os poderes de suas agências, como o ICMBio, e incentiva o avanço da "livre iniciativa" de madeireiros ilegais, extração mineral e grileiros sobre as florestas da Amazônia. O Ministério das Comunicações faz a propaganda pessoal do chefe do Estado e intermedia o apoio de emissoras de rádio e televisão dispostas a ecoar a apologia do populismo reacionário no poder. É verdade que tais ações envolvem a prática de ilícitos sem conta. Mas, além de confiar na impunidade decorrente do aparelhamento do Ministério Público Federal e da cumplicidade da Advocacia Geral da União, a maioria pretende aproveitar a notoriedade para se candidatar depois a cargos eletivos,

---

[143] Um dos próprios autores deste livro sofreu perseguição ideológica. Ver: MUNIZ, Mariana. "Servidor perde cargo na Casa Rui Barbosa por ser crítico a Bolsonaro". *Veja*, 15 jan. 2020. Disponível em: https://veja.abril.com.br/blog/radar/servidor-perde-cargo-na-casa-de-rui-barbosa-por-criticas-a-bolsonaro/. Acessado em: 06.06.2022. Cerca de um ano depois, ele voltou a ser perseguido pelo mesmo motivo, conforme se verifica em reportagem como esta: MOURA, Athos. "CGU recomenda arquivamento de representação de Presidente da Casa Rui Barbosa contra servidor que criticou Bolsonaro". *O GLOBO*, 07 abr. 2021. Disponível em: https://blogs.oglobo.globo.com/lauro-jardim/post/cgu-recomenda-arquivamento-de-representacao-de-presidente-da-casa-rui-barbosa-contra-servidor-que-criticou-bolsonaro.html. Acessado em: 06.06.2022. Ainda: MEDEIROS, Jotabê. "CGU isenta pesquisador que criticou Bolsonaro e foi denunciado por Presidente da Fundação Rui Barbosa". *Farofafá*, 06 abr. 2021. Disponível em: https://farofafa.cartacapital.com.br/2021/04/06/cgu-isenta-pesquisador-que-criticou-bolsonaro-e-foi-denunciado-por-presidente-da-fundacao-rui-barbosa/. Acessado em: 06.06.2022.

onde estarão protegidos pela imunidade parlamentar e pelo foro privilegiado.[144]

## O núcleo militar da gerência administrativa

O segundo desses núcleos, por sua vez, é formado pelo "gabinete militar". Composto de generais aposentados encarregados de tocar a articulação política com os demais poderes, esse núcleo representa em termos simbólicos a "restauração da autoridade" na Administração Pública, explorando o prestígio que as forças repressivas, incluindo as polícias militares, exerceriam sobre os setores conservadores da sociedade brasileira, a partir do imaginário de "bom governo" da ditadura de 1964-1985. As funções anunciadas para os militares no início do governo seriam basicamente duas: promover a interface do Executivo com os Poderes Legislativo e Judiciário, conforme as necessidades de manter boas relações utilizando o "grande prestígio" das Forças Armadas, e oferecer ao governo o quadro técnico-administrativo necessário para a gerência do Estado. Este núcleo

---

[144] Esse é o caso, por exemplo, dos ex-ministros da Educação, Abraham Weintraub, e das Relações Exteriores, Ernesto Araujo, conforme a imprensa tem anunciado. Ver: BRASIL 247. "Weintraub faz campanha antecipada para governador de São Paulo e será denunciado ao TSE". *Brasil 247*, 16 fev. 2021. Disponível em: https://www.brasil247.com/regionais/sudeste/ weintraub-faz-campanha-antecipada--para- governador-de-sao-paulo-e-sera-denunciado-ao-tse. Acessado em: 06.06.2022. Ainda: GAZETA DO POVO. "Ernesto Araújo avalia candidatura a deputado federal em 2022, diz jornal". *Gazeta do Povo*, 10 mai. 2021. Disponível em: https://www.gazetadopovo.com.br/republica /breves/ernesto-araujo-avalia- candidatura-a-deputado-federal-em-2022-diz-jornal/. Acessado em: 06.06.2022.

visou, no início do governo, conter ou corrigir os excessos do populismo presidencial fomentado pelo "gabinete do ódio", ocupado com a "guerra de informação", que precisa transmitir sempre a imagem de Bolsonaro como herói antissistema que hostiliza a classe política ou a magistratura como composta de corruptos, mentirosos ou esquerdistas. O núcleo pilotado pelos generais aposentados é pragmático e tentou entabular acordos destinados a garantir a sustentação do governo em relação aos demais poderes, distribuindo verbas e cargos a deputados e senadores, e tentando – nem sempre com êxito – articular o sucesso de propostas do governo no Congresso. Entretanto, a conversão cada vez mais acentuada do general Braga Netto à agenda reacionária e sua adesão – ao lado do Ministro da Defesa, Paulo Sérgio de Oliveira – às ameaças golpistas do Presidente, mostraram de modo contundente que a pretensa aparência tecnocrática da cúpula militar não foi suficiente para ocultar sua difícil adequação às suas funções constitucionais e democráticas.

    No fundo, a aprovação da pauta legislativa é relativamente secundária, na medida em que o principal objetivo do governo é menos governar propriamente do que aproveitar o aparelho de Estado para firmar a visibilidade e relevância política da família Bolsonaro como polo hegemônico da extrema-direita na vida política nacional. Nesse quadro, dar visibilidade a pautas de costumes, ainda que não venham a ser aprovadas pelo Congresso, é muito mais importante do que a aprovação de reformas administrativa ou tributária desejadas por setores do mercado ou da sociedade civil, por exemplo. Por isso mesmo, a principal meta do núcleo militar se limita, na prática, a usar a imagem das Forças Armadas para intimidar os críticos do governo com o emprego da força e, principalmente, a evitar por sua articulação política junto ao Congresso e ao Supremo Tribunal que a hostilidade da propaganda populista presidencial contra as instituições se traduza em aberturas de processos de *impeachments*, instalações de comissões parlamentares de inquérito, avanços em investigações judiciais e de pedidos de cassação dos filhos do Presidente da República por quebra de decoro ou corrupção. Quanto à aparência inicial de capacidade para oferecer um quadro técnico competente, a prática mostrou que o papel dessa "ala militar" é gerenciar o emprego de outros militares, sempre generais e coronéis, da ativa ou aposentados, em cargos estratégicos da Administração. Sua utilidade é tripla: ela reforça a imagem do governo como autoritário, honesto e tecnocrático; alicia o apoio dos setores conservadores das Forças Armadas para o projeto reacionário; e supre a ausência de um pessoal administrativo partidário para a família Bolsonaro, ganhando os militares a fama de "fiéis cumpridores" de ordens da presidência da República.

# CAPÍTULO IV

UMA REVOLUÇÃO REACIONÁRIA FRUSTRADA?

Ideologias não são apenas retórica para preencher os discursos dos atores políticos no espaço público. Elas constroem imaginários possíveis de ação política e, assim, tornam a ação dos atores antecipável dentro de determinado conjunto de possibilidades históricas. Se toda ação política é produto de uma escolha, nossas escolhas estão, inescapavelmente, associadas ao modo como projetamos suas consequências.[145] Não se trata, por óbvio, de acreditar que a história seja circular, e que a ação de mulheres e homens aconteça sempre de modo igual às gerações que os antecederam, mas sim de entender que a experiência histórica do passado e as crenças, representações e tudo aquilo que conforma uma cultura política cujo significado é retirado dessa experiência pregressa pode ajudar-nos a sondar, antever e esperar certas opções daqueles que agem no presente.

 Este livro iniciou-se com a tese de que o processo político brasileiro – que está em relação com transformações políticas globais – é, em grande parte, resultado da manifestação de um fenômeno novo no país: a existência de um populismo reacionário que, pela primeira vez em nossa história, foi capaz de ganhar eleições livres

---

[145] KOSELLECK, Reinhart. *História de Conceitos*. Rio de Janeiro: Contraponto, 2021.

mobilizando um extraordinário movimento de opinião pública e de organização de setores da sociedade civil. Bolsonaro não é resultado apenas do discurso anticorrupção do lavajatismo, do golpismo dos saudosos dos porões da ditadura, do "bandeirantismo" neoliberal, da "nova direita" olavista e do novo "udenismo" dos movimentos de rua da classe média. Ele é a soma de todos os fatores ideológicos que tais discursos colocaram em marcha na última década. Neste último capítulo, buscaremos sondar algumas das possibilidades abertas pelo imaginário político brasileiro para as ideologias políticas em disputa. Mais do que "antecipar os fatos", nos interessa compreender como os atores políticos "imaginam" o futuro da crise política brasileira. Vamos explorar os diferentes significados do conceito de golpe mobilizamos hoje no debate político dos três "imaginários ideológicos" colocados para as direitas brasileiras na atual conjuntura: o golpismo dos militares e neofascistas, a "terceira via" do liberalismo e a "conciliação oligárquica" do Centrão.

## O golpismo no imaginário do populismo reacionário: do autogolpe militar à arruaça eleitoral

Desde sua aparição pública diante das manifestações em frente ao Palácio do Governo pedindo o fechamento do Congresso e do STF e o golpe militar "constitucional", que se repetiram ao longo de vários domingos durante o ano de 2020, o Presidente sugere repetidamente que conta com o apoio das Forças Armadas para desfechar um golpe militar contra os poderes instituídos.[146] Trata-se de um cenário golpista em que o Presidente conseguiria usar o Exército como guarda pretoriana para impedir o livre funcionamento do Congresso Nacional, do Supremo Tribunal Federal e do Tribunal Superior Eleitoral. Adviria a inevitável desmoralização e na sequência o aparelhamento daquelas instituições, com o advento a médio prazo de uma ditadura de estilo chavista, com a diferença da substituição do bolivarianismo pelo reacionarismo. Mas esse cenário não parece provável. Embora golpes sejam urdidos no segredo e desfechados de forma violenta e súbita, ameaças vêm sendo feitas quase todas as semanas desde as primeiras tensões do governo com as demais instituições democráticas. Também é difícil saber até que ponto os generais palacianos podem ser considerados representativos do conjunto das Forças Armadas, porque foram escolhidos a dedo pelo Presidente. Embora um número significativo de militares seja crítico da Nova República e dos excessos do judiciarismo, a incursão das Forças Armadas no contexto atual teria menos incentivos e bases para apoio – externos e internos – em comparação ao golpe de 1964.

Outras razões indicam a inviabilidade de um golpe de Estado clássico. Nenhum dos países ocidentais que, tendo experimentado a democracia, tornaram-se autocracias em

---

[146] FERNANDES, Talita; PUPO, Fábio. "Bolsonaro volta a apoiar ato contra STF e Congresso e diz que Forças Armadas estão 'ao lado do povo'". *Folha de São Paulo*, São Paulo, 03 mai. 2020. Disponível em: https://www1.folha.uol.com.br/poder/2020/05/ato-pro-bolsonaro-em-brasilia-tem-carreata-e-xingamentos-a-moro-stf-e-congresso.shtml?utm_source=mail&utm_medium=social&utm_campaign=compmail. Acessado em: 06.06.2022.

tempo recente, nem sofreu golpes à antiga, com prisões de líderes oposicionistas e tanques na rua. Foram chefes de governo que empregaram sua popularidade para erodir a respeitabilidade das instituições para torná-las meras chancelarias de sua vontade. Olhado de perto, Bolsonaro se encontra na situação inversa à dos autocratas modernos, que empregaram sua popularidade para roer as instituições: tem uma minoria de apoiadores no Congresso, a franca antipatia do Supremo Tribunal e a oposição da maioria dos governadores. Não custa lembrar que o último autogolpe organizado pelo Alto Comando em tempos democráticos ocorreu há mais de oitenta anos, em 1937. Ademais, ele foi desfechado não a favor, mas contra o Presidente. Do ponto de vista da correlação de forças, também aqui a situação atual de Bolsonaro parece mais com a de Goulart em 1964 do que com a de Vargas em 1937. Também se fala muito hoje da simpatia das polícias militares estaduais pelo Presidente, mas ainda não há qualquer sinal de articulação entre elas, e nem espaço para levantes, que certamente seriam reprimidos pelo Alto Comando. Um dos fantasmas da memória militar é a Revolução de 1930, quando as Forças Armadas se desmancharam diante de um levante das polícias estaduais, e a Junta Militar organizada às pressas para depor Washington Luís sofreu a humilhação de não ser reconhecida por Getúlio Vargas.

Por fim, não custa perguntar o óbvio: por que as Forças Armadas bancariam um golpe para sustentar Bolsonaro? No passado, em circunstâncias assemelhadas, não bancaram Jânio Quadros. Embora possa comungar certas premissas autoritárias, é difícil crer que o grosso da oficialidade acredite que a pacificação do país possa ser efetivada por Bolsonaro. Pode-se alegar, é certo, que os militares desejam continuar

# CAPÍTULO IV – UMA REVOLUÇÃO REACIONÁRIA FRUSTRADA?

fruindo de privilégios corporativos. Mas também se pode responder que o vice-Presidente, sucessor constitucional de Bolsonaro, é um general reformado de quatro estrelas profundamente indisposto com o Presidente e seu círculo mais imediato. Em suma, não parece haver incentivos suficientes para que o Exército embarque na aventura do golpe apenas para sustentar uma família impopular, encalacrada com a Justiça, sem maioria estável no Congresso Nacional, que conta com a oposição da maioria dos governadores e que tem recebido sinais negativos de parte de potências internacionais, como os Estados Unidos. Em tais circunstâncias, os custos de um golpe seriam incalculavelmente altos para a corporação militar, e seus resultados, imprevisíveis. No fim das contas, a ameaça de um golpe de Estado como o de 1964, ou de um novo AI-5, provavelmente não passa de uma técnica violenta de intimidação do populismo reacionário, que se limita a explorar o imaginário do eterno retorno do autoritarismo na cultura brasileira para evitar a deposição de Bolsonaro.

Por outro lado, desde a invasão da sede do Capitólio norte-americano por apoiadores de Donald Trump em janeiro de 2021, o populismo reacionário passou a dispor de uma nova modalidade de "golpe de Estado". Ele deixa de ser compreendido no registro formal, jurídico ou institucional, para ser apresentado como uma insurreição "democrática". A eventual derrota do populista radical não pode ser apresentada como resultado da preferência do eleitorado por outro candidato, mas da fraude à expressão de sua vontade soberana por parte de instituições (o "sistema") controladas e seus inimigos ("as elites"). A necessidade de deslegitimar previamente a vitória da oposição obriga o populista radical a provar de modo contínuo sua popularidade e difundir a desconfiança nos métodos de apuração eleitoral, em um contexto de negacionismo estrutural. Ao convidar as Forças Armadas para acompanhar e opinar sobre a organização eleitoral, apostando na construção de um consenso sobre a lisura das eleições, a Justiça deu a Bolsonaro a oportunidade de que carecia para se valer da credibilidade dos militares junto aos radicais para desacreditar o processo eleitoral. Críticas explicitas do Ministro da Defesa, o general Paulo Sérgio de Oliveira, são sinais de que os militares aposentados que adeririam ao populismo reacionário estão dispostos a avalizar para o público a tese da fraude diante da derrota do chefe. O protagonista deste golpe insurrecional não seria, porém, as Forças Armadas. Seria o "povo armado" por Bolsonaro nos clubes de tiro, composto por civis radicalizados e policiais militares. Este seria o "povo" encarregado de "resistir à opressão" em defesa de sua "liberdade" ameaçada pela destituição ilegítima de seu caudilho.

Por outro lado, tudo indica que, mais do que uma ditadura, o verdadeiro objetivo de Bolsonaro é criar um ambiente de caos para barganhar a entrega do poder a seu sucessor em troca da garantia de imunidade. Toda a sua carreira política foi marcada por violentas bravatas contra o sistema democrático, mas nunca se provou que ele de fato tenha levado a cabo nenhuma. Contrastando com seu tom sempre violento, Bolsonaro enuncia suas ameaças sempre de modo calculadamente vago e ambíguo, de forma a poder desdizer amanhã o que disse na véspera. O precedente de 7 de setembro de 2021 parece confirmar essa hipótese. Depois de concentrar milhares de seguidores em atos meticulosamente organizados com meses de antecedência, Bolsonaro subiu ao palco, vituperou em termos demagógicos, mas genéricos, contra o Supremo Tribunal e a Justiça Eleitoral. Na prática, limitou-se a chamar de canalha o Ministro

## CAPÍTULO IV – UMA REVOLUÇÃO REACIONÁRIA FRUSTRADA?

Alexandre de Moraes, que preside os inquéritos contra atos antidemocráticos que lá correm contra sua família e outros apoiadores seus. Em outras palavras, tudo o que Bolsonaro pretendia era intimidar o Supremo Tribunal. Quando percebeu que, com seus atos, perdeu rapidamente o apoio da classe política e abrira as portas de seu *impeachment*, o Presidente rapidamente recuou e se retratou da forma mais humilhante por meio de uma carta de reconciliação redigida de antemão por Michel Temer, que trouxe de São Paulo para fazer a ponte com o Congresso e o Supremo. Intermediou inclusive um pedido de desculpas por telefone de Bolsonaro a Moraes. Naquele momento ele encarou os militares ou as milhares de pessoas que juntara na véspera como fonte alternativa de poder.[147]

Tudo sugere, pois, que o golpismo seja antes um truque publicitário para atrair o voto dos radicais e permanecer impune; que Bolsonaro é acima de tudo um mentiroso blefador que explora o ódio à democracia para viver impunemente às custas dela; que sua obsessão em demonstrar força consista principalmente em um mecanismo de intimidação para escapar à responsabilização civil e criminal. O Presidente visivelmente não tem inteligência, coragem, nem força para promover uma ruptura. Daí por que promove continuamente a mobilização de sua base eleitoral e suscita desconfianças sobre a lisura do processo eleitoral, na esperança de que,

---

[147] FERRO, Maurício. "Temer chegou ao Planalto com rascunho de carta à nação pronto: Ministros Flávia Arruda e Ciro Nogueira ajudaram a finalizar construção do texto divulgado por Bolsonaro". *R7*, 09 set. 2021. Disponível em: https://noticias.r7.com/brasilia/temer-chegou-ao-planalto-com-rascunho-de-carta-a-nacao--pronto-29062022. Acessado em: 14.07.2022.

uma vez derrotado, a arruaça, ou o medo dela, obrigue os atores políticos a lhe oferecer condições seguras para entregar o poder, por meio de uma "conciliação por cima".

## O *"impeachment* democrático" dos liberais da terceira via

Desde a oposição liberal a Vargas reunida no "Manifesto dos Mineiros", passando pela sua principal manifestação histórica, a UDN, o discurso anticorrupção sempre ofereceu ao liberalismo a oportunidade de uma crítica convincente ao Estado. Para ela, a gestão de um Estado interpretado como gigante e ineficiente, em um país cuja sociedade é não só subdesenvolvida, mas presa das estruturas de dominação oligárquicas, só poderia ser operada por meio da manutenção de práticas de cooptação, cuja principal manifestação é a corrupção. Esse discurso, que de alguma forma esteve presente desde sempre na vida política brasileira, foi incorporado pelos tucanos quando na oposição aos governos petistas.[148] A narrativa de que Lula exercia uma "tutela populista" sobre os mais pobres não foi suficiente para o PSDB derrotá-lo eleitoralmente, mas agregou em torno de si parte substantiva do eleitorado. A "udenização" do PSDB, contudo, sofreria sua grande inflexão com a escalada dos escândalos de corrupção envolvendo a alta cúpula petista. Após a aposta frustrada no "sangramento" do PT durante o Mensalão – que culminou com a mais vergonhosa derrota do PSDB em 2006, protagonizada por Geraldo Alckmin, que conseguiria a proeza

---

[148] CHALOUB, Jorge. "Os resquícios de 1964: populismo e udenismo no debate político atual". *Revista Insight Inteligência*, ano XVII, nº 65, 2014.

## CAPÍTULO IV – UMA REVOLUÇÃO REACIONÁRIA FRUSTRADA?

de obter menos votos no segundo turno que no primeiro – o discurso oposicionista dos tucanos parecia ter finalmente encontrado um ponto eficiente: o PT seria o protagonista da corrupção, o "gerente" de uma corporação do mal ocupada em predar o Estado e que tinha no ex-Presidente Lula o seu principal articulador. O antipetismo havia se convertido num forte elemento ideológico sobre o qual o PSDB buscaria alicerçar seu discurso público a partir dali. Mas houve um *impeachment* no meio do caminho, e com as manifestações de 2015 contra o governo Dilma, ficou evidente que o PSDB não era o destino natural da oposição ao PT. O antipetismo articulado a um discurso moralizador e de forte condenação do Estado, teria finalmente sucesso eleitoral, mas não com a vitória dos tucanos, e sim do projeto populista reacionário de Jair Bolsonaro.

Ocorre que, no poder, a situação da ala lavajatista sempre foi a mais desconfortável dentro da coalizão. Porque sua defesa da "lei e da ordem" pressupunha a autonomia das corporações judiciárias, ela nunca pôde romper os vínculos primários com o liberalismo. De fato, o judiciarismo só pode existir em um Estado de Direito altamente desenvolvido. Mas, na utopia regressista do consórcio reacionário-neoliberal, não há espaço para o Estado, quanto mais de Direito. A viabilização do projeto autoritário exige o desmantelamento das instituições encarregadas de defender a Constituição, intimidando seu livre funcionamento e difundindo ideias antidemocráticas. Além disso, Bolsonaro nunca quis combater a corrupção, mas apenas explorar o assunto para demonizar os setores progressistas. Na medida em que seus filhos e associados vinham sendo investigados pela polícia e pelo Ministério Público, o aparelhamento daquelas instituições se tornava indispensável. A adesão do lavajatismo ao bolsonarismo, portanto, foi um ato equivalente à de uma galinha que entrega à raposa a guarda de seus ovos. Depois que o Movimento Brasil Livre desembarcou do governo, Moro ficou como Carlos Lacerda no começo do regime militar: percebeu que sua ação política, exercida a título de salvar a república, contribuíra para destruí-la. Ao desembarcar do governo com estrépito, Moro desacoplou sua imagem do bolsonarismo, permitindo associar o governo à corrupção e ao crime. Mais: ao defender a autonomia da Polícia Federal, Moro deu a senha para a reativação do judiciarismo e do discurso anticorrupção, alertando para o risco que todas as corporações judiciárias corriam caso não reagissem a tempo para salvaguardar sua independência.

A reação começou pelo Supremo Tribunal que corria o risco de se converter em uma Corte semelhante à da Venezuela chavista, isto é, uma chancelaria de ditadores.[149] A elite intelectual e jurídica da República não desejava acabar como o Ministro Adauto Cardoso, que em 1969 jogou sua toga no chão diante do AI-5.[150] A Corte pagou para ver a carta do golpe de Estado que Bolsonaro sugeria ter desde fevereiro de 2020 e, vendo que era blefe, agiu para cercear a central de produção de propaganda, desinformação e intimidação montada pelos filhos do Presidente (o "gabinete do ódio"),

---

[149] FIGUEIREDO, Argelina Cheibub; LIMONGI, Figueiredo. "Por seu intervencionismo imoderado, STF não terá como evitar confronto com Bolsonaro". *Folha de São Paulo*, São Paulo, 30 abr. 2020. Disponível em: https://www1.folha.uol.com.br/poder/2020/04/por-seu-intervencionismo-imoderado-stf-nao-tera-como-evitar-confronto-com-bolsonaro.shtml. Acessado em: 06.06.2022.

[150] RECONDO, Felipe. *Tanques e togas*: o STF durante a ditadura. São Paulo: Companhia das Letras, 2018.

## CAPÍTULO IV – UMA REVOLUÇÃO REACIONÁRIA FRUSTRADA?

com a instauração dos inquéritos destinados a apurar a existência e a responsabilidade pelos atos antidemocráticos, e de apoiar as investigações da Comissão Parlamentar de Inquérito da Covid no Congresso Nacional sobre a responsabilidade presidencial na pandemia. Aliados do governo, como o deputado Daniel Silveira e o Presidente do PTB, Roberto Jefferson, sofreram buscas e apreensões e prisões. A Corte encarregou-se de desmentir em seus julgados a tese de que as Forças Armadas representassem qualquer espécie de Poder Moderador constitucional. O Ministro Dias Toffoli reafirmou a doutrina *judiciarista ou normativista* de Rui Barbosa e Pedro Lessa, de acordo com a qual o art. 102 da Constituição determinaria que "o guardião da Constituição é o Supremo Tribunal Federal. Não é mais possível Forças Armadas como Poder Moderador".[151] No ano seguinte, o Executivo voltou a ser contrariado: "Não temos quarto Poder hoje", declarou a Ministra Carmen Lúcia.[152]

Na sequência do descolamento do lavajatismo com relação ao governo e do "inquérito das *fake news*" e demais decisões do Supremo contra apoiadores de Bolsonaro, a CPI da Covid ofereceu aos anseios de uma terceira via de caráter liberal elementos importantes para sua reorganização.

---

[151] PONTES, Felipe. "Toffoli diz que Forças Armadas não podem ser poder moderador". *Agência Brasil*, Brasília, 2020. Disponível em: https://agenciabrasil.ebc.com.br/justica/noticia/2020-06/toffoli-diz-que-forcas-armadas-nao-podem-ser-poder-moderador. Acessado em: 14.07.2022.

[152] BORGES, Rebeca. "'Brasil não tem poder moderador', diz Carmen [Lúcia] sobre Forças Armadas". *Metrópoles*, São Paulo, 2021. Disponível em: https://www.metropoles.com/brasil/brasil-nao-tem-poder-moderador-diz-carmen-sobre-forcas-armadas. Acessado em: 14.07.2022.

A exposição pública das reuniões da comissão projetou algumas lideranças liberais como adversários renitentes do governo Bolsonaro. Mas não foi apenas a crise sanitária que possibilitou essa emergência de novos personagens: a ampliação das suspeitas de corrupção na condução da pandemia – fraude em licitações para compras de respiradores, *lobby* de militares e pastores para a aquisição de vacinas e, finalmente, a denúncia do deputado Luis Miranda contra o próprio Presidente – reativaram no imaginário da oposição liberal o velho discurso moralizador e anticorrupção que havia sido aliado de primeira hora de Bolsonaro até a sua eleição.[153] Parte da direita liberal passou a sonhar com um novo processo de *impeachment,* e seria possível voltar a mobilizar o discurso anticorrupção não só contra Bolsonaro, mas contra a eventual volta de Lula ao poder, em benefício de uma "terceira via antipopulista".[154] Diante da impossibilidade do *impeachment* pelo apoio oferecido pelo Centrão a Bolsonaro em troca do controle orçamentário do governo federal, a partir de setembro de 2021, a oposição liberal passou a sonhar com alguma manobra que, retirando a candidatura do Presidente à reeleição, abrisse espaço para uma alternativa de "terceira via" que representasse o

---

[153] AMORIM, Diego; LIMA, Wilson. "Exclusivo: Luís Miranda alertou Bolsonaro sobre indícios de irregularidades na compra da Covaxin". *O Antagonista*, 23 jul. 2021. Disponível em: oantagonista.uol.com.br/brasil/exclusivo-luis-miranda-alertou-bolsonaro-sobre-indicios-de--irregularidades-na-compra-da-covaxin/. Acessado em: 14.07.2022.

[154] ROSCOE, Beatriz. "Relatório da CPI será fator 'muito forte' para *impeachment,* diz Simone Tebet". *Poder 360*, 10 set. 2021. Disponível em: https://www.poder360.com.br/brasil/relatorio-da-cpi-sera-fator-muito-forte-para-impeachment-diz-simone-tebet/. Acessado em: 14.07.2022.

lançamento de um "novo PSDB". Diante da baixa intenção de votos do principal herdeiro do lavajatismo, Sergio Moro, e do governador de São Paulo, João Dória, a candidatura do setor recaiu sobre a senadora Simone Tebet (MDB), uma das vozes mais ativas do *impeachment* de Dilma e da oposição a Bolsonaro no Senado.

Mas as contradições do "antipopulismo" liberal não são poucas. Em primeiro lugar está a sua pouca popularidade, atestada pelo desempenho eleitoral pífio de seus principais nomes nas pesquisas. Apesar do entusiasmo com a candidatura Tebet por parte de intelectuais liberais ou de órgãos da imprensa como a Revista Veja ou a Folha de São Paulo,[155] a incapacidade de tal movimento político tornar-se eleitoralmente viável, só mostra que, efetivamente, a disputa política no século XXI se tornará cada vez menos dependente dos canais tradicionais de construção da opinião e da vontade, como os grandes órgãos de imprensa, criando as condições para o que Pierre Rosanvallon tem chamado de "o século do populismo".[156] Em segundo lugar está a dificuldade de lideranças da "terceira via" em reconhecer que Lula e Bolsonaro não são opostos simétricos. A falsa equivalência acentua a ambiguidade do discurso liberal com relação à sua já atestada atração por manifestações extremadas da direita. Assim como o antipetismo levou boa parte dos liberais ao apoio a Bolsonaro em 2018, mesmo que no segundo turno, a timidez com relação a

---

[155] FOLHA DE SÃO PAULO. "A vez de Tebe"". *Folha de S. Paulo*, 24 mai. 2022. Disponível em: https://www1.folha.uol.com.br/opiniao/2022/05/a-vez-de-tebet.shtml. Acessado em: 15.07.2022.

[156] ROSANVALLON, Pierre. *O século do populismo*. Rio de Janeiro: Ateliê de Humanidades, 2021.

compromissos de futura adesão a qualquer alternativa ao risco autocrático representado pelo populismo reacionário coloca em questão novamente o compromisso liberal com a democracia e o Estado de Direito. Some-se a isso o fato de que, mesmo que Bolsonaro deixe o Planalto após as eleições, dificilmente se pode crer que a extrema-direita deixará a cena política pelos próximos anos, colocando para os liberais o desafio de ter que aceitar disputar o espaço da direita contra as suas manifestações extremadas sem aderir a um discurso antidemocrático quando o confronto com a esquerda se coloca no horizonte.

## O "pacto da conciliação" reencenado: da fantasia do "Bolsonaro moderado" à ideologização do Centrão

Conhecidos por sua disposição a aderir a qualquer governo do dia em troca de verbas e cargos públicos, as lideranças do bloco partidário conhecido como Centrão (PL, PTB, PP, PTB, Republicanos, União Brasil, PSD, MDB, Patriota, PROS, Avante, PSC), sempre se opuseram ao início de um processo de *impeachment* de Jair Bolsonaro. Estavam certos de que, a despeito de sua promessa de jamais negociar com o bloco, estigmatizado como símbolo do "sistema corrupto" pela Lava Jato, a necessidade o obrigaria cedo ou tarde a bater nas suas portas. Foi o que aconteceu depois de dois anos de governo, quando Bolsonaro resolveu que precisava de apoio no Congresso para evitar um processo de *impeachment*. Ele abjurou da promessa e abriu os cofres para apoiar a eleição de Rodrigo Pacheco (PSD-MG) para a Presidência do Senado, e de Arthur Lira (PP-AL) para a da Câmara. Depois do fiasco dos atos de 7

## CAPÍTULO IV – UMA REVOLUÇÃO REACIONÁRIA FRUSTRADA?

de setembro de 2021, teve de penitenciar horas depois para evitar aquele mesmo processo, Bolsonaro resolveu alugar de vez seu governo para o Centrão, levando o PL, o PP e o Republicanos para o governo, onde passaram a gerir toda a administração federal – com exceção das áreas sensíveis de segurança, deixadas aos militares, e de educação e cultura, que continuaram nas mãos dos reacionários. Enquanto Ciro Nogueira (PP-PI) passou à condição de ministro-chefe do gabinete civil – chamado pelos aliados de "Presidente Executivo do Brasil"[157] –, Arthur Lira se tornou na prática o líder do governo na Câmara, adotando o legalismo autocrático na interpretação do regimento para facilitar a tramitação e aprovação dos projetos de interesse do governo.[158] A integração foi muito mais fácil do que se previa, já que a adesão de Bolsonaro ao Lavajatismo era da boca para fora: ele fizera toda a sua carreira como deputado em partidos do Centrão, só diferindo por explorar o nicho do radicalismo de direita. Por isso mesmo, depois de se livrar de Moro, aparelhou a Polícia Federal e estendeu a blindagem que montara para proteger sua família contra investigações de corrupção na Procuradoria Geral da República à todos os parlamentares

---

[157] BONIN, Robson. "Ciro Nogueira, o 'Presidente-Executivo' do Brasil: Chefe da Casa Civil ganhou o apelido de aliados, já que é ele quem toca a máquina do governo enquanto o chefe curte motociatas país afora". *Revista Veja*, 21 abr. 2022. Disponível em: https://veja.abril.com.br/coluna/radar/ciro-nogueira-o-presidente-executivo-do--brasil/veja.abril.com.br/coluna/radar/ciro-nogueira-o-presidente--executivo-do-brasil/. Acessado em: 14.07.2022.

[158] DI CUNTO, Rafael. "Lira quer mudar regimento para enfraquecer a minoria parlamentar". *Valor Econômico*, 11 mai. 2021. Disponível em: https://valor.globo.com/politica/noticia/2021/05/11/lira-articula-mudar-regimento-para-enfraquecer-minoria-parlamentar.ghtml. Acessado em: 14.07.2022.

que se dispusessem a defendê-lo: "Sempre fui do Centrão, tenho me dado muito bem com eles", reconheceu.[159]

A fantasia esfarrapada de "moderado" foi o preço que Ciro Nogueira e Arthur Lira cobraram de Bolsonaro, com a intermediação de Temer, para desmobilizar a onda pelo *impeachment* que se levantou após as ameaças públicas do Presidente contra o Supremo na manifestação do dia 7 de setembro de 2021. Os chefes do Centrão eram os primeiros interessados nessa mudança de rota, já que a situação lhes era confortável. Aproveitaram mais uma desmedida do Presidente para tentar enquadrá-lo por pelo menos seis meses, logrando êxito onde os militares falharam. Bolsonaro foi convencido de que não há como se reeleger bajulando apenas 15% do eleitorado. Que não teria nem partido, nem chance alguma. Aceitou cooptar-se para reduzir as resistências à sua agenda eleitoreira no Congresso e no STF e convencer o Centrão a carregá-lo em 2022. No entanto, o objetivo primário dos populistas reacionários sempre foi utilizar o governo como plataforma eleitoral permanente para a normalização do autoritarismo político. Daí a resistência a qualquer "normalização" proposta pelos generais palacianos ou pelo Centrão em momentos de grande tensão promovidos pelo Presidente, ou seus constantes recuos depois parecer ceder. A busca por um conflito que, quando esgotado, precisa ser imediatamente substituído por outro – o golpe, a cloroquina,

---

[159] GALVANI, Nathalia. "Sempre fui do Centrão, tenho me dado muito bem com eles". *Correio Braziliense*, 2 ago. 2021. Disponível em: www.correiobraziliense.com.br/politica/2021/08/4941302-bolsonaro-sempre-fui-do-centrao-tenho-me-dado-muito-bem-com-eles.html. Acessado em: 14.07.2022.

## CAPÍTULO IV – UMA REVOLUÇÃO REACIONÁRIA FRUSTRADA?

o voto impresso – é exigência incontornável para manter animada a base de apoio de extrema-direita. O resultado é a impossibilidade de moderar Bolsonaro, que se revela ao longo de sua pré-campanha eleitoral, na medida em que ele desobedece aos conselhos dos profissionais de marketing do bloco e prefere continuar a apostar na pauta radical, na guerra cultural, na mobilização contínua de seu eleitorado, e na orientação que lhe é dada pelo gabinete do ódio, pilotada pelo filho, Carlos.

Embora se diga que os partidos do bloco centrônico não possuem ideologia, eles obviamente a têm, e seu propalado pragmatismo já indica qual. PL, PTB, PP e Republicanos podem ser qualificados como partidos da direita tradicional (descontada a minoria de radicais que foi se abrigar no PL e no PTB); ao passo que União Brasil, PSD, o MDB pertencem ao centro-direita. No conjunto, predomina um conservadorismo moderado de tintas mais ou menos liberais, conforme se aproxima ou se afasta do centro – conservadorismo elástico o suficiente para aderir a qualquer *status quo*, dentro dos limites de sua própria moderação, de que depende em primeiro lugar a preservação das instituições. Não foram raras as vezes em que o Centrão recusou pedidos ou projetos típicos do populismo reacionário, como de retorno do voto impresso, anistia para fascistoides investigados por antidemocráticos, liberação de armas ou *impeachment* de ministros do Supremo Tribunal. O bloco funciona de modo semelhante àqueles de partidos estaduais que davam sustentação aos governos da Primeira República – ou seja, como um grande partido conservador descentralizado a serviço do *status quo* à maneira daquele comandado por Pinheiro Machado,

Francisco Glicério e Antonio Azeredo.[160] Por outro lado, sua insatisfação com o modelo de governabilidade predominante na República de 1988, no qual o Congresso ficava a reboque de um Executivo proativo e de um Judiciário ativista, o tem levado desde o governo Temer a esboçar o desejo de um rearranjo, que favoreça seus interesses à luz desse conservadorismo moderado, desejoso de estabilidade e de preservação do *status quo*.

Nesse novo modelo de governabilidade a que o Centrão aspira, o Congresso Nacional assumiria de vez o lugar de centralidade da política brasileira. Assunção garantida por duas alterações básicas no sistema atual. A primeira passa pelo compartilhamento com o Executivo, não apenas das decisões relativas à destinação orçamentária por meio de emendas parlamentares, mas da própria condução das políticas públicas. Essa alteração se materializou ao longo de 2022 no Projeto de Emenda Constitucional para mudar o sistema de governo de presidencialista para semipresidencialista, ora discutido em comissão própria na Câmara dos Deputados. Apoiada por Arthur Lira, a proposta elaborada pelo deputado Samuel Moreira (PSDB-MG) recria o cargo de Presidente do conselho de ministros para atuar como chefe de governo. O primeiro-ministro seria indicado pelo Presidente eleito na qualidade de chefe de Estado, desde que aprovado pela maioria do Congresso Nacional. A mudança é defendida pelos líderes do Centrão na medida em que geraria mais estabilidade e responsabilidade do que o atual,

---

[160] LYNCH, Christian Edward Cyril. *Da monarquia à oligarquia*: história institucional e pensamento político brasileiro. São Paulo: Alameda, 2013.

## CAPÍTULO IV – UMA REVOLUÇÃO REACIONÁRIA FRUSTRADA?

no qual os congressistas aprovam as medidas propostas pelo governo em troca de vantagens orçamentárias, sem assumir nenhum risco político por elas: "O que nós ganhamos é que a Câmara e o Senado, o Parlamento, ao aprovarem o nome do ministro, passam a constituir uma maioria responsável pelo governo".[161] A segunda alteração a ser introduzida diz respeito à restrição da proatividade do Poder Judiciário sobre a esfera da política, entendida como privativa do Executivo e do Legislativo. O judiciarismo praticado a título de fazer valer os princípios constitucionais, tal como preconizado doutrinariamente pelo Ministro Luís Roberto Barroso, é interpretado pelas lideranças do bloco centrônico como um "ativismo judicial" contrário ao princípio da separação de poderes, eis que invasivo das atribuições do governo e do Congresso.[162] O processo de "politização da Justiça", de que a Lava Jato teria sido a expressão suprema, deveria ser contido preferencialmente pelo próprio Supremo Tribunal, pelo restabelecimento doutrinário de uma versão moderna da antiga "doutrina das questões políticas", que na Primeira

---

[161] UOL. "'Aprimora a governança', diz deputado sobre PEC do semipresidencialismo". *UOL política*, 20 jul. 2021. Disponível em: https://noticias.uol.com.br/politica/ultimas-noticias/2021/07/20/aprimora-a-governanca-diz-deputado-sobre-semipresidencialismo.htm. Acessado em: 14.07.2022.

[162] Até o momento o Centrão tem buscado constranger o Supremo Tribunal Federal, seja por meio de críticas contundentes às suas supostas invasões às atribuições do Congresso, seja com ameaçadoras propostas de Emenda Constitucional destinadas a restringi-las. WETERMAN, Daniel. "Centrão elabora PEC para anular decisões não unânimes do Supremo". *O Estadão*, 14 jun. 2022. Disponível em: www.estadao.com.br/politica/centrao-prepara-pec-para-reverter-decisoes-nao-unanimes-do-supremo/. Acesado em: 14.07.2022.

República Velha enunciava as matérias cujo mérito era vedado ao Judiciário se pronunciar.[163]

Em síntese: embora não queiram ditadura, os líderes do Centrão também não têm interesse na volta do velho presidencialismo de coalizão. Era um sistema no qual o Legislativo não tinha autonomia, cooptado pelo governo de um lado, e desrespeitado pela justiça, de outro. Arthur Lira e Ciro Nogueira gostam de Bolsonaro, que lhes prestou grandes serviços: alugou o governo pelo orçamento secreto, neutralizou o Ministério Público e mantém o Supremo acuado. Dinheiro, poder e impunidade pelo antijudiciarismo são o cimento que os une. Mas o Centrão não quer enfraquecer o Judiciário para engrandecer o Executivo. Quer o enfraquecimento de ambos em benefício do Legislativo – ou seja, em benefício de si mesmo. Não por outro motivo faz circular no Congresso a proposta de substituição do atual sistema de governo pelo semipresidencialismo. O fato de que ela seja ao mesmo tempo, repelida por Bolsonaro e aplaudida por Gilmar Mendes e Luís Roberto Barroso evidencia a autonomia relativa do Centrão também face ao atual governo.[164] Daí por que Pacheco e Lira

---

[163] Sancionada no século XIX por constitucionalistas como Thomas Cooley, a doutrina das questões políticas exprimia uma concepção positivista e restritiva da jurisdição constitucional. "Sobre questões políticas, os tribunais não têm qualquer autoridade, devendo aceitar a determinação dos órgãos políticos do governo como conclusivas". COOLEY, Thomas M. *The general principles of constitutional law in the United States of America*. Boston: Little, Brown and Company, 1898, p. 156.

[164] BOMBIG, Alberto; LARA, Matheus. "Semipresidencialismo ganha defesa enfática de Barroso, Gilmar e Temer". *O Estadão*, 7 ago. 2021. Disponível em: https://politica.estadao.com.br/blogs/coluna-do-estadao/semipresidencialismo-ganha-defesa-enfatica-de-barroso-gilmar--e-temer/. Acessado em: 14.07.2022.

## CAPÍTULO IV – UMA REVOLUÇÃO REACIONÁRIA FRUSTRADA?

condenem o golpismo bolsonarista em seus momentos de maior arroubo, mas não com a ênfase que se poderia esperar de democratas convictos. Eles possivelmente esperam que, ou não haverá arruaça nenhuma, não passando o Presidente de um bravateiro amalucado, ou que a arruaça lhes cairá no colo para que possam sair delas como negociadores de um grande acordo nacional que, em caso de vitória da oposição, permita a Bolsonaro sair impune do poder juntamente com sua família e seus generais aposentados. O Centrão ganha assim em qualquer cenário – ganha inclusive mais com a saída de Bolsonaro negociada pelo Congresso, com a ajuda de Gilmar e Temer, deixando o Judiciário ainda mais acuado, e com Lula entrando enfraquecido. E nesse caso, pode ser que vingue a proposta semipresidencialista como solução intermediária nesse cenário eleitoral dividido entre lulistas e bolsonaristas, Judiciário e Executivo, no qual o populismo reacionário tenta compensar sua falta de votos pela intimidação permanente, e não se conseguir produzir nenhum candidato a Presidente que seja um Michel Temer com votos.

# CONCLUSÃO

## O PARADOXO DO PARASITA

Governos democráticos não se fazem obedecer pela intimidação. Eles precisam de legitimidade. A "legitimidade eleitoral" é o pontapé inicial, mas há também uma "legitimidade de exercício". O eleitor não dá carta branca para o vencedor fazer o que quiser. Ele precisa desempenhar positivamente para continuar a ser obedecido.[165] Em um funcionamento ótimo das democracias, o eleitor é capaz de julgar, em uma sociedade com ampla liberdade de informação, os resultados do desempenho dos seus representantes e decidir, durante eleições periódicas em que a concorrência é garantida, se referenda os atos do representante, reelegendo-o ou a seus aliados. Há também uma distância natural em regimes de opinião pública, entre as performances públicas dos políticos e seu desempenho institucional quando eleitos. Retóricas incandescentes em períodos de eleição não são, necessariamente, incorporadas ao desempenho público dos representantes no governo, e nem tensões entre os que estão dentro e os que estão fora do governo são sempre sinal de crise nos regimes democráticos. A democracia é um regime que não só lida bem, como se nutre da expansão da contestação e da participação políticas.[166] São justamente essas

---

[165] ROSANVALLON, Pierre. *La légitimité démocratique*: Impartialité, réflexivité, proximité. Paris: Seuil, 2008.
[166] DAHL, Robert. *Poliarquia*: participação e oposição. São Paulo: EdUSP, 2015.

condições institucionais de competição em um ambiente de pluralidade, relativa estabilidade e rotina das instituições que o populismo reacionário busca minar.

O conceito de populismo reacionário que propusemos desenvolver neste livro tenta estabelecer os limites da relação entre populismo e democracia: se uma concepção restritiva de povo é inseparável do populismo reacionário, logo também se mostra inerente a ele um projeto antipluralista. E, como o pluralismo é condição da democracia, o populismo reacionário necessariamente tem consequências antidemocráticas. Mesmo em casos em que os movimentos populistas não são efetivos em operar o tipo de mudança institucional autoritária que têm em mente, a sua ação política leva sempre tensão e risco ao sistema político democrático. Como afirma Nadia Urbinati, o que distingue a ambição populista de outras formas de mobilização política são os esforços para converter "uma nova maioria em maioria permanente", ou seja, eliminar a regra da maioria num "ambiente de pluralismo político em que as maiorias são temporárias e modificáveis".[167] Compreender o populismo reacionário significa, portanto, entender como seu discurso ideológico articula uma proposta de fechamento do horizonte democrático.

Buscamos, nos capítulos anteriores, entender as origens ideológicas de uma experiência nova na história brasileira: a de um tipo de populismo puramente excludente, baseado na tentativa de construção de uma ideia de povo reacionária, que conseguiu ser vitoriosa eleitoralmente. Aqui, contudo, a

---

[167] URBINATI, Nadia. *Me the people*: How populismo transforms democracy. Nova York: Harvard University Press, 2019, p. 111.

definição de "povo" do bolsonarismo não deve confundir-se com uma identidade bem definida de um povo homogeneamente étnico, como nos movimentos fascistas e neofascistas europeus, indiano ou israelense.[168] O "povo" de Bolsonaro só pode ser compreendido de modo negativo, se entendermos contra que antagonistas – experiências históricas, valores e atores políticos democráticos – ele se opõe. Bolsonaro oferece sua força e carisma para abrigar qualquer proposta, contanto que esteja a serviço de um projeto de destruição desse horizonte democrático, incompleto e imperfeito, que a história das últimas quatro décadas nos legou. É uma fraqueza que se torna força – pois, por mais contraditório que pareça, cabe qualquer coisa em seu discurso, desde que seja a serviço de minar as bases de uma sociedade democrática.

Não há democracia, por mais consolidada, à prova de crise sistêmica de legitimidade. Essas crises são periódicas. Se a democracia já se enraizou minimamente, quando essa crise chega, já não há mais espaço para rupturas, revoluções, golpes formais, que rasguem a Constituição. O "jogo duro constitucional" é o golpismo possível nos tempos de consolidação democrática. Despreza os precedentes e a jurisprudência criados quando da rotina democrática, para se apegar à interpretação formalista da lei. Estranho "avanço" nos novos tempos de retrocesso. O "jogo duro constitucional" pode ser qualificado como um abuso de poder, fundado num abuso de interpretação puramente formalista do que seja legalidade. Então Trump pode "legalmente" não reconhecer resultados eleitorais, alegar fraude sem provas,

---

[168] GEISELBERGER, Hans (Coord.). *The great regression*. Cambridge: Polity Press, 2017.

pressionar Assembleias Legislativas para ignorar a votação e indicar elas mesmas os delegados do colégio eleitoral, ausentar-se da posse do sucessor etc., mas não pode continuar no poder. Da mesma forma, Bolsonaro é obrigado a nomear o procurador geral da República e os reitores em listas tríplices, mas pode ignorar trinta anos de tradição de nomear o mais votado. Assim como as Constituições Democráticas modernas buscaram impedir o golpe através de determinações legais, provavelmente as futuras deverão incluir também algum mecanismo de respeito a práticas informalmente instituídas, evitando dar espaço para que parasitas das instituições, como os populistas reacionários, possam enfraquecê-las por dentro.

Mesmo que Bolsonaro saia da presidência, a experiência social, cultural e política do populismo reacionário deixará marcas importantes e um legado ativo na sociedade brasileira. A radicalização de parte do eleitorado da direita, a criação de "mundos informacionais paralelos" dos quais ela se alimenta, a negação do sistema político, de valores pluralistas e a apologia da violência serão parte da cultura política brasileira pelos próximos anos, mesmo que Bolsonaro e sua família deixem o proscênio. Vejamos cinco pontos que resumem esse legado: (1) Bolsonaro deu forma e força a uma nova cultura política de extrema-direita que une elementos novos e velhos de ideologias reacionárias e fascistas do Brasil e do mundo. (2) Criou no Brasil um programa político, inspirado por Trump, que passa por explorar o ódio à democracia por meio da mentira sistemática. Modelo que sustenta a política autoritária no Congresso, nas redes e em emissoras de rádio e TV alinhadas. (3) Criou um método de aparelhamento administrativo, destrutivo das práticas republicanas, pela

## CONCLUSÃO – O PARADOXO DO PARASITA

cooptação dos desclassificados e ressentidos na Administração, e pela intimidação dos bons e capazes. Agora ele tem o seu "pessoal" junto aos militares, policiais federais, procuradores e juízes, prontos para vazar informações e sabotar investigações contra seus aliados. (4) Criou, com a ajuda do Centrão, o suborno coletivo de congressistas pelo orçamento secreto, que ficará como um imenso problema orçamentário e político para os próximos governos. (5) Criou laços fortes com a Internacional Fascista de Trump, Orban, Salvini *et caterva*, para fazer o intercâmbio das técnicas de propaganda populista antidemocrática.

Entretanto, o tema da corrosão democrática promovido pelo populismo reacionário no poder não pode ser entendido sem compreender o dilema do parasita experimentado pelo populista do tipo de Bolsonaro, que envolve saber até que ponto é real o seu desejo de derrubar as instituições. O dilema do parasita existe porque, em casos como os EUA e o Brasil, o próprio populista alimenta dúvidas sobre a possibilidade e a capacidade de viver fora da democracia. Daí suas permanentes ambiguidades e dubiedades. O populista radical vive de explorar o ódio ao sistema democrático dentro da democracia e em nome dela. Precisa mostrar poder todo o tempo, para estimular a base e intimidar os adversários a tolerar seus crimes. É com a ostentação desse poder – parte verdadeiro, parte simulado – que ele intimida os inimigos e eletriza sua base de ressentidos que objetivamente não ganham nada, senão saciar seu desejo de revanche. O número favorito desse show é a ameaça de golpe, por meio do qual o líder populista levaria o povo à revolução que destruiria o sistema e seus inimigos. Nos setores mais fanáticos da direita radical, ele adquire o sabor milenarista de realização de uma profecia apocalíptica.

Ocorre que uma coisa é a dimensão dos discursos, e outra é a contingência da realidade política. Porque vivem de explorar o ódio à democracia, lideranças populistas enfrentam o dilema do parasita: não sabem até que ponto podem ir confortavelmente explorando aquele ódio sem matar a hospedeira. Populistas gostam de explorar a fantasia pública de que poderiam matá-la. Mas temem tentar fazê-lo na verdade, porque dariam um salto no escuro, criando uma situação imprevisível de perigo para si mesmos, que os levaria, como parasitas, a morrer junto com a democracia. A tal corrosão democrática corresponde à piora da saúde da hospedeira. O dilema do parasita envolve justamente saber até onde se pode roer a democracia sem matá-la ou provocar sua reação contra si. Ele é extensivo à incerteza de saber até onde pode-se ir, sem suscitar uma reação generalizada do sistema que o elimine do jogo. Porque prejudica a saúde da democracia, o parasita não pode ser tolerado. Deve ser combatido desde já com purgantes e vermífugos. Mas conhecer seus dilemas e estratégias de sobrevivência também são essenciais para que possamos combatê-lo de forma inteligente e eficaz.

# REFERÊNCIAS BIBLIOGRÁFICAS

ABRANCHES, Sérgio. *Presidencialismo de coalizão*: raízes e evolução do modelo político brasileiro. São Paulo: Companhia das Letras, 2018.

ALINSKY, Saul. *Rules for radicals*: a practical primer for realistic radicals. Nova York: Random House, 1971.

ALMADA, Pablo Emanuel Romero. "O negacionismo na oposição de Jair Bolsonaro à Comissão Nacional da Verdade". *Revista Brasileira de Ciências Sociais*, vol. 36, nº 106, 2021.

ALMEIDA, José Américo de. "Prefácio". *In*: MONTEIRO, Gois. *A Revolução de 30 e a finalidade política do Exército (esboço histórico)*. Rio de Janeiro: Andersen Editores, 1933.

AMADO, Guilherme. "Marido da nova Presidente do IPHAN foi segurança de Bolsonaro". *Revista Época*, Rio de Janeiro, 12 mai. 2020.

AMORIM, Diego; LIMA, Wilson. "Exclusivo: Luís Miranda alertou Bolsonaro sobre indícios de irregularidades na compra da Covaxin". *O Antagonista*, 23 jul. 2021. Disponível em: oantagonista.uol.com.br/brasil/exclusivo-luis-miranda-alertou-bolsonaro-sobre-indicios-de-irregularidades-na-compra-da-covaxin/. Acessado em: 14.07.2022.

ARANTES, Rogério. *Judiciário e Política no Brasil*. São Paulo: Idesp, 1997.

AVELAR, Idelber. *Eles em nós*: retórica e antagonismo político no Brasil do século XXI. Rio de Janeiro: Record, 2021.

AVRITZER, Leonardo. *O pêndulo da democracia*. São Paulo: Todavia, 2019.

AVRITZER, Leonardo; MARONA, Marjorie. "A tensão entre soberania e instituições de controle na democracia brasileira". *Dados*, vol. 60, nº 2, 2017.

AZEVEDO, José Afonso de. *Elaborando a Constituição Nacional*. Edição fac-similar. Brasília: Senado Federal, 1993.

BALLOUSIER, Anna Virginia. "'Alvim é parte de um governo que flerta com ideias fascistas', diz pesquisador". *Folha de São Paulo*, São Paulo, 23 jan. 2020. Disponível em: https://www1.folha.uol.com.br/ilustrada/2020/01/alvim-e-parte-de-um-governo-que-flerta-com-ideias-fascistas-diz-pesquisador.shtml. Acessado em: 06.06.2022.

BANNON, Steve; FRUM, David. *The rise of populism (The Munk debates)*. Edição de Rudyard Griffiths. Canada: Anansi Press, 2019.

BARBOSA, Bernardo. *Bolsonaro*: Forças Armadas não aceitam tomada de poder por julgamentos políticos. São Paulo: CNN Brasil, 2020. Disponível em: https://www.cnnbrasil.com.br/politica/forcas-armadas-nao-aceitam-tomada-de-poder-por-outro-poder-diz-bolsonaro. Acessado em: 14.07.2022.

BARBOSA, Rui. *Escritos e discursos seletos*. Rio de Janeiro: Nova Aguilar, 1960.

BARROSO, Luís Roberto. "A razão sem voto: o Supremo Tribunal Federal e o governo da maioria". *Revista Brasileira de Políticas Públicas*, vol. 5, nº especial, 2015.

_____. "Constituição, democracia e supremacia judicial: direito e política no Brasil contemporâneo". *Revista da Faculdade de Direito*, Universidade do Estado do Rio de Janeiro, nº 21, 2005.

_____. *O Direito Constitucional e a Efetividade de suas Normas*. Rio de Janeiro: Renovar, 2006.

BOMBIG, Alberto; LARA, Matheus. "Semipresidencialismo ganha defesa enfática de Barroso, Gilmar e Temer". *O Estadão*, 7 ago. 2021. Disponível em: https://politica.estadao.com.br/blogs/coluna-do-estadao/semipresidencialismo-ganha-defesa-enfatica-de-barroso-gilmar-e-temer/. Acessado em: 14.07.2022.

# REFERÊNCIAS BIBLIOGRÁFICAS

BONAVIDES, Paulo. *Curso de direito constitucional*. 8ª ed. São Paulo: Malheiros, 1991.

BONIN, Robson. "Ciro Nogueira, o 'Presidente-Executivo' do Brasil: Chefe da Casa Civil ganhou o apelido de aliados, já que é ele quem toca a máquina do governo enquanto o chefe curte motociatas país afora". *Revista Veja*, 21 abr. 2022. Disponível em: https://veja.abril.com.br/coluna/radar/ciro-nogueira-o-presidente-executivo-do-brasil/veja.abril.com.br/coluna/radar/ciro-nogueira-o-presidente-executivo-do-brasil/. Acessado em: 14.07.2022.

_____. "Como Bolsonaro se prepara para enfrentar Lula no debate diário até 2022". *Revista Veja*, 15 mar. 2021. Disponível em: https://veja.abril.com.br/blog/radar/como-o-governo-se-prepara-para-enfrentar-lula-no-debate-diario-ate-2022/. Acessado em: 06.06.2022.

BORGES, Rebeca. "'Brasil não tem poder moderador', diz Carmen [Lúcia] sobre Forças Armadas". *Metrópoles*, São Paulo, 2021. Disponível em: https://www.metropoles.com/brasil/brasil-nao-tem-poder-moderador-diz-carmen-sobre-forcas-armadas. Acessado em: 14.07.2022.

BRASIL 247. "Weintraub faz campanha antecipada para governador de São Paulo e será denunciado ao TSE". *Brasil 247*, 16 fev. 2021. Disponível em: https://www.brasil247.com/regionais/sudeste/weintraub-faz-campanha-antecipada-para-governador-de-sao-paulo-e-sera-denunciado-ao-tse. Acessado em: 06.06.2022.

BRASIL, Felipe Moura. "Conheça o Foro de São Paulo, o maior inimigo do Brasil". *Veja*, 31 jul. 2020. Disponível em: http://veja.abril.com.br/blog/felipe-moura-brasil/conheca-o-foro-de-sao-paulo-o-maior-inimigo-do-brasil/#. Acessado em: 06.06.2022.

BRASIL. *Constituição política do Império do Brazil*, de 25 de março de 1824. Disponível em: http://www.planalto.gov.br/ccivil_03/constituicao/constituicao24.htm#:~:text=Do%20Poder%20Moderador.-,Art.,harmonia%20dos%20mais%20Poderes%20Politicos. Acessado em: 27.06.2022.

CAMAROTTI, Gerson. "Bolsonaro sinaliza que a agenda de privatizações só vai decolar em um segundo mandato". *Globo (G1)*, 24 fev. 2021. Disponível em: https://g1.globo.com/politica/blog/gerson-camarotti/post/2021/02/24/bolsonaro-sinaliza-que-agenda-de-privatizacoes-so-vai-decolar-em-um-eventual-segundo-mandato.ghtml. Acessado em: 27.06.2022.

CARBONELL, Miguel. *Teoría del neoconstitucionalismo*. Madrid: Trotta, 2007.

CARDOSO, Adalberto. *Uma sociologia política do bolsonarismo*. Rio de Janeiro: Amazon, 2020.

CARVALHO, Daniel. "'Eu sou a Constituição', diz Bolsonaro ao defender democracia e liberdade um dia após ato pró-golpe militar". *Folha de São Paulo*, edição de 20 abr. 2020. Disponível em: www1.folha.uol.com.br/poder/2020/04/democracia-e-liberdade-acima-de-tudo-diz-bolsonaro-apos-participar-de-ato-pro-golpe.shtml. Acessado em: 14.07.2022.

CARVALHO, Olavo de. "Post: 'o desmantelamento completo da máquina golpista da esquerda'". *Post do Facebook*, 2 dez. 2014. Disponível em: www.facebook.com/carvalho.olavo/photos/a.275188992633182/411841992301214/?type=3. Acessado em: 15.07.2022.

_____. *A Nova Era e a revolução cultural*: Fritjof Capra e Antonio Gramsci. São Paulo: Vide, 2016.

_____. *O futuro do pensamento brasileiro*: estudos sobre o nosso lugar no mundo. Rio de Janeiro: Faculdade da Cidade, 1997.

_____. *O jardim das aflições - De Epicuro à ressurreição de César*: ensaio sobre o materialismo e a religião civil. Rio de Janeiro: Vide, 2015.

CARVALHOSA, Modesto; BIERRENBACH, Flávio; DIAS, José Carlos. "Manifesto à Nação". *O Estado de S.Paulo*, 09 abr. 2017. Disponível em: https://opiniao.estadao.com.br/noticias/geral,manifesto-a-nacao,70001732061. Acessado em: 06.06.2022.

# REFERÊNCIAS BIBLIOGRÁFICAS

CASSIMIRO, Paulo Henrique Paschoeto. "A Revolução conservadora no Brasil. Nacionalismo, autoritarismo e fascismo no Pensamento Político Brasileiro dos anos 30". *Revista Política Hoje*, vol. 27, 2018.

CESARINO, Letícia. "Pós-verdade e a crise do sistema de peritos: uma explicação cibernética". *Revista Ilha*, Florianópolis, vol. 23, nº 1, 2021.

CHALOUB, Jorge. "Os resquícios de 1964: populismo e udenismo no debate político atual". *Revista Insight Inteligência*, ano XVII, nº 65, 2014.

COOLEY, Thomas M. *The general principles of constitutional law in the United States of America*. Boston: Little, Brown and Company, 1898.

CORTÈS, Juan Donoso. *Ensayo sobre el catolicismo, el liberalismo y el socialismo*. Granada: Comares, 2006.

COUTO, Cláudio Gonçalves. "Macarthismo administrativo: controlar até a nomeação de pessoas para cargos de funções sem teor partidário, governo aparelha a máquina pública". *Valor Econômico*, São Paulo, 23 jan. 2020.

COUTO, Marlen. "Bolsonaro bloqueia perfis de desafetos no Twitter; veja quem são". *O Globo*, 27 out. 2020. Disponível em: https://blogs.oglobo.globo.com/sonar-a-escuta-das-redes/post/bolsonaro-bloqueia-perfis-de-desafetos-no-twitter-veja-quem-sao.html. Acessado em: 06.06.2022.

CRISAFULLI, Vezio. *La Costituzione e le sue disposizioni di principio*. Milão: A. Giuffrè, 1952.

DAHL, Robert. *Poliarquia*: participação e oposição. São Paulo: EdUSP, 2015.

DE WITTE, Melissa; DRISCOLL, Sharon. "Stanford scholars react to Capitol Hill takeover". *Stanford News*, 06 jan. 2021. Disponível em: https://news.stanford.edu/2021/01/06/stanford-scholars-react-capitol-hill-takeover/. Acessado em: 06.06.2022.

DI CUNTO, Rafael. "Lira quer mudar regimento para enfraquecer a minoria parlamentar". *Valor Econômico*, 11 mai. 2021. Disponível em: https://valor.globo.com/politica/noticia/2021/05/11/lira-articula-mudar-regimento-para-enfraquecer-minoria-parlamentar.ghtml. Acessado em: 14.07.2022.

EFRAIM, Anita. "Sigilo de 100 anos de Bolsonaro: relembre casos em que governo impôs medida". *Portal Yahoo notícias*, edição de 14 abr. 2022.

EMPOLI, Giuliano da. *Os engenheiros do caos*. Trad. de Arnaldo Bloch. 1ª ed. São Paulo: Vestígio, 2019.

ESTADÃO. "Bolsonaro liga Moraes a Alckmin e acusa ministros do STF de agirem para impedir sua reeleição". *Estadão*, 15 jun. 2022. Disponível em: www.estadao.com.br/politica/bolsonaro-liga-moraes-a-alckmin-e-acusa-ministros-do-stf-de-agirem-para-impedir-sua-reeleicao. Acessado em: 15.07.2022.

FAORO, Raymundo. *Assembleia Constituinte*: a legitimidade recuperada. São Paulo: Brasiliense, 1981.

_____. *Os Donos do Poder*: formação do patronato político brasileiro. 2ª ed. São Paulo: Editora Globo, 1974.

_____. *Os Donos do Poder*: formação do patronato político brasileiro. Porto Alegre: Editora Globo, 1958.

FARIA, Octavio de. *Cristo e César*. Rio de Janeiro: José Olympio, 1937.

FERNANDES, Talita; PUPO, Fábio. "Bolsonaro volta a apoiar ato contra STF e Congresso e diz que Forças Armadas estão 'ao lado do povo'". *Folha de São Paulo*, São Paulo, 03 mai. 2020. Disponível em: https://www1.folha.uol.com.br/poder/2020/05/ato-pro-bolsonaro-em-brasilia-tem-carreata-e-xingamentos-a-moro-stf-e-congresso.shtml?utm_source=mail&utm_medium=social&utm_campaign=compmail. Acessado em: 06.06.2022.

FERRO, Maurício. "Temer chegou ao Planalto com rascunho de carta à nação pronto: Ministros Flávia Arruda e Ciro Nogueira ajudaram a finalizar construção do texto divulgado por

Bolsonaro". *R7*, 09 set. 2021. Disponível em: https://noticias.r7.com/brasilia/temer-chegou-ao-planalto-com-rascunho-de-carta-a-nacao-pronto-29062022. Acessado em: 14.07.2022.

FIGUEIREDO, Argelina Cheibub; LIMONGI, Figueiredo. "Por seu intervencionismo imoderado, STF não terá como evitar confronto com Bolsonaro". *Folha de São Paulo*, São Paulo, 30 abr. 2020. Disponível em: https://www1.folha.uol.com.br/poder/2020/04/por-seu-intervencionismo-imoderado-stf-nao-tera-como-evitar-confronto-com-bolsonaro.shtml. Acessado em: 06.06.2022.

FIGUEIREDO, Argelina; SANTOS, Fabiano. "Estudos Legislativos no Brasil". *In*: AVRITZER, Leonardo; MILANI, Carlos; BRAGA, Maria do Socorro. *A ciência política no Brasil*: 1960-2015. Rio de Janeiro: FGV, 2015.

FIORAVANTI, Maurizio. *Constitución*: de la Antigüedad a nuestros días. Trad. de Manuel Martínez Neira. Madrid: Trotta, 2001.

FOLHA DE SÃO PAULO. "A vez de Tebe". *Folha de S. Paulo*, 24 mai. 2022. Disponível em: https://www1.folha.uol.com.br/opiniao/2022/05/a-vez-de-tebet.shtml. Acessado em: 15.07.2022.

_____. "Grupo pró-Bolsonaro protesta em frente ao STF com tochas e máscaras". *Folha de S.Paulo*, 31 mai. 2020. Disponível em: https://www1.folha.uol.com.br/poder/2020/05/grupo-pro-bolsonaro-protesta-em-frente-ao-stf-com-tochas-e-mascaras.shtml?utm_source=facebook&utm_medium=social&utm_campaign=compfb. Acessado em: 15.07.2022.

FRANCO, Bernardo Mello. "'Governo não tolera críticas a Bolsonaro', diz pesquisador vetado na Casa Rui". *Jornal O GLOBO*, Rio de Janeiro, 26 jan. 2020.

FRASER, Nancy. "Progressive Neoliberalism versus Reactionary Populism: a Hobson's Choice". *In*: GEISELBERGER, Hans (Coord.). *The great regression*. Cambridge: Polity Press, 2017.

FREEDEN, Michael. *Ideology*: a very short introduction. Oxford: Oxford University Press, 2003.

FUKUYAMA, Francis. "The end of history?" *The National Interest*, nº 16, 1989.

GALVANI, Nathalia. "Sempre fui do Centrão, tenho me dado muito bem com eles". *Correio Braziliense*, 2 ago. 2021. Disponível em: www.correiobraziliense.com.br/politica/2021/08/4941302-bolsonaro-sempre-fui-do-centrao-tenho-me-dado-muito-bem-com-eles.html. Acessado em: 14.07.2022.

GAZETA DO POVO. "Ernesto Araújo avalia candidatura a deputado federal em 2022, diz jornal". *Gazeta do Povo*, 10 mai. 2021. Disponível em: https://www.gazetadopovo.com.br/republica/breves/ernesto-araujo-avalia-candidatura-a-deputado-federal-em-2022-diz-jornal/. Acessado em: 06.06.2022.

GEISELBERGER, Hans (Coord.). *The great regression*. Cambridge: Polity Press, 2017.

GENERAL VILLAS BÔAS. "Brasil: Imperativo Renascer!". *Youtube*, Rio de Janeiro, Editora Insight, 23 jan. 2018. Disponível em: https://www.youtube.com/watch?v=iKx5_5k1hhA. Acessado em: 14.07.2022.

GLOBO NOTÍCIAS (G1). "'Será um grande erro não investir no Brasil', diz Paulo Guedes". *Economia*, 20 out. 2020. Disponível em: https://g1.globo.com/economia/noticia/2020/10/20/sera-um-grande-erro-nao-investir-no-brasil-diz-paulo-guedes.ghtml. Acessado em: 06.06.2022.

GONÇALVES, Leandro Pereira; CALDEIRA NETO, Odilon. *O fascismo em camisas verdes*: do integralismo ao neointegralismo. Rio de Janeiro: FGV, 2020.

HARTMANN, Andrew. *A war for the soul of America*. 2ª ed. Chicago: Chicago University Press, 2019.

HESSE, Konrad. *A Força Normativa da Constituição*. Trad. de Gilmar Ferreira Mendes. Porto Alegre: Sergio Fabris, 1991.

HOWE, Daniel Walker. *What hath God wrought*: the transformation of America, 1815-1848. Oxford: Oxford University Press, 2007.

# REFERÊNCIAS BIBLIOGRÁFICAS

KELSEN, Hans. *Jurisdição Constitucional*. Trad. de Alexandre Krug. São Paulo: Martins Fontes, 2003.

KERCHE, Fábio. "Ministério Público, Lava Jato e Mãos Limpas: uma abordagem institucional". *Lua Nova*, São Paulo, nº 105, 2018.

_____. "O Ministério Público e a constituinte de 1987/88". *In*: SADEK, Maria Tereza (Coord.). *O sistema de justiça*. Rio de Janeiro: Centro Edelstein de Pesquisas Sociais, 2010.

KOSELLECK, Reinhart. *História de Conceitos*. Rio de Janeiro: Contraponto, 2021.

LACLAU, Ernesto. *A Razão Populista*. São Paulo: Três Estrelas, 2013.

LESSA, Pedro. *Do Poder Judiciário*. Rio de Janeiro: Francisco Alves, 1915.

LEVITSKY, Steven; ZIBLATT, Daniel. *Como as democracias morrem*. Rio de Janeiro: Zahar, 2018.

LILLA, Mark. *The Shipwrecked Min*: on political reaction. Nova York: NYRB, 2016.

LYNCH, Christian Edward Cyril. "Ascensão, fastígio e declínio da 'revolução judiciarista'". *Revista Insight Inteligência*, ano XX, nº 79, out./nov./dez. 2017.

_____. "Cultura política brasileira". *Revista da Faculdade de Direito da UFRGS*, Porto Alegre, nº 36, ago. 2017.

_____. "Entre o judiciarismo e o autoritarismo: o espectro do poder moderador no regime republicano (1890-1945)". *História do Direito*, nº 3, Curitiba, 2021.

_____. "Negacionismo e cooptação empresarial: Caso da proxalutamida expõe aliciamento para alavancar projeto de poder". *Folha de São Paulo*, São Paulo, 16 fev. 2022.

_____. *Da monarquia à oligarquia*: história institucional e pensamento político brasileiro. São Paulo: Alameda, 2013.

LYNCH, Christian Edward Cyril; CHALOUB, Jorge. "O pensamento político-constitucional da República de 1988: um balanço preliminar". *In*: HOLLANDA, Cristina Buarque de; VEIGA, Luciana Fernandes; AMARAL, Oswaldo. *A Constituição de 88 trinta anos depois*. Curitiba: EDUFPR, 2018.

MACIEL, Lício; NASCIMENTO, José Conegundes do (Coord.). *Orvil*: tentativas de tomada de poder. Brasília: Schoba, 2012.

MALATIAN, Teresa. *Império e missão*: um novo monarquismo brasileiro. 1ª ed. São Paulo: Companhia Editora Nacional, 2001.

MANGABEIRA, João. *Ruy*: o estadista da República. São Paulo: Martins, 1960.

MARONA, Marjorie; KERCHE, Fábio. "Do Caso Banestado à Operação Lava Jato: construindo uma estrutura institucional anti-corrupção no Brasil". *Dados*, vol. 64, nº 3, 2021.

MARTINS, Ives Gandra. "Harmonia e independência entre os poderes?" *Consultor Jurídico*, 02 mai. 2020. Disponível em: https://www.conjur.com.br/2020-mai-02/ives-gandra-harmonia-independencia-poderes. Acessado em: 06.06.2022.

MASCARENHAS, Nélson Lage. *Um Jornalista do Império – Firmino Rodrigues Silva*. São Paulo: Companhia Editora Nacional, 1961.

MEDEIROS, Jotabê. "CGU isenta pesquisador que criticou Bolsonaro e foi denunciado por Presidente da Fundação Rui Barbosa". *Farofafá*, 06 abr. 2021. Disponível em: https://farofafa.cartacapital.com.br/2021/04/06/cgu-isenta-pesquisador-que-criticou-bolsonaro-e-foi-denunciado-por-presidente-da-fundacao-rui-barbosa/. Acessado em: 06.06.2022.

MELO FRANCO, Afonso Arinos; PILLA, Raul. *Presidencialismo ou parlamentarismo?* Rio de Janeiro: Livraria José Olympio, 1958.

MERQUIOR, José Guilherme. *O liberalismo antigo e moderno*. São Paulo: É Realizações, 2013.

# REFERÊNCIAS BIBLIOGRÁFICAS

MJSP. Polícia Federal. *Laudo N11 1242/2020*. Disponível em: https://static.poder360.com.br/2020/05/transcricao-video-reuniao22abr.pdf. Acessado em: 27.06.2022.

MOFFITT, Benjamin. *The global rise of populism*: performance, political style and representation. Stanford: Stanford University Press, 2016.

MOTTA, Rodrigo Patto Sá. *Em guarda contra o perigo vermelho*: o anticomunismo no Brasil (1917-1964). Niteroi: EDUFF, 2020.

MOURA, Athos. "CGU recomenda arquivamento de representação de Presidente da Casa Rui Barbosa contra servidor que criticou Bolsonaro". *O GLOBO*, 07 abr. 2021. Disponível em: https://blogs.oglobo.globo.com/lauro-jardim/post/cgu-recomenda-arquivamento-de-representacao-de-presidente-da-casa-rui-barbosa-contra-servidor-que-criticou-bolsonaro.html. Acessado em: 06.06.2022.

MUDDE, Cas. *The far-right today*. Cambridge: Polity Press, 2019.

MÜLLER, Jan-Werner. *What is populism?* Filadefia: University of Pennsylvania Press, 2016.

MUNIZ, Mariana. "Servidor perde cargo na Casa Rui Barbosa por ser crítico a Bolsonaro". *Veja*, 15 jan. 2020. Disponível em: https://veja.abril.com.br/blog/radar/servidor-perde-cargo-na-casa-de-rui-barbosa-por-criticas-a-bolsonaro/. Acessado em: 06.06.2022.

NOBRE, Marcos. *Limites da democracia*: de junho de 2013 ao governo Bolsonaro. São Paulo: Todavia, 2022.

NUNES, Jorge Amaury; NÓBREGA, Guilherme Pupe da. "Separação de poderes: o Judiciário fala por último?" *Migalhas*, 31 out. 2017. Disponível em: http://www.migalhas.com.br/ProcessoeProcedimento/106,MI268246,31047-Separacao+de+Poderes+O+Judiciario+fala+por+ultimo. Acessado em: 06.06.2022.

PENNA, José Osvaldo de Meira. *O Dinossauro*: uma pesquisa sobre o Estado, o patrimonialismo selvagem e a nova classe de intelectuais e burocratas. São Paulo: T. A. Queiroz, 1988.

PONTES, Felipe. "Toffoli diz que Forças Armadas não podem ser poder moderador". *Agência Brasil*, Brasília, 2020. Disponível em: https://agenciabrasil.ebc.com.br/justica/noticia/2020-06/toffoli-diz-que-forcas-armadas-nao-podem-ser-poder-moderador. Acessado em: 14.07.2022.

RAMALHO, Renan. "Gilmar Mendes diz que faz trabalho 'exaustivo', mas não considera que seja 'escravo'". *Globo Notícias (G1)*, 19 out. 2017. Disponível em: https://g1.globo.com/politica/noticia/gilmar-diz-que-faz-trabalho-exaustivo-mas-nao-considera-que-seja-escravo.ghtml. Acessado em: 08.06.2022.

RECONDO, Felipe. *Tanques e togas*: o STF durante a ditadura. São Paulo: Companhia das Letras, 2018.

ROCHA, Camila. *Menos Marx, mais Mises*: o liberalismo e a Nova Direita brasileira. São Paulo: Todavia, 2021.

ROCHA, João Cezar de Castro. *Guerra cultural e Retórica do ódio*: crônicas de um Brasil pós-político. Goiânia: Caminhos, 2021.

ROSANVALLON, Pierre. *La Democratie Inachevée*: histoire de la souveraneité du peuple em France. Paris: Gallimard, 2007.

_____. *La légitimité démocratique*: Impartialité, réflexivité, proximité. Paris: Seuil, 2008.

_____. *O século do populismo*. Rio de Janeiro: Ateliê de Humanidades, 2021.

ROSCOE, Beatriz. "Relatório da CPI será fator 'muito forte' para *impeachment*, diz Simone Tebet". *Poder 360*, 10 set. 2021. Disponível em: https://www.poder360.com.br/brasil/relatorio-da-cpi-sera-fator-muito-forte-para-impeachment-diz-simone-tebet/. Acessado em: 14.07.2022.

ROSSI, Amanda; COSTA, Flávio; SÁ, Gabriela; PIVA, Juliana Dal. "Quebra de sigilos do caso Flávio revela indícios de 'rachadinha' em gabinetes de Jair e Carlos Bolsonaro". *Folha de São Paulo*, 15 mar. 2021. Disponível em: https://www1.folha.uol.com.br/poder/2021/03/quebra-de-sigilos-do-caso-flavio-revela-indicios-de-rachadinha-em-gabinetes-de-jair-e-carlos-bolsonaro.shtml. Acessado em: 27.06.2022.

SAGRES, Instituto. *PROJETO DE NAÇÃO – Cenário Prospectivos Brasil 2035 – Cenário Foco – Objetivo, Diretrizes e Óbices*. Brasília, 2022.

SAID, Flávia. "Ex-aliados de Bolsonaro mostram como funciona o Gabinete do Ódio". *Congresso em Foco*, 29 mai. 2020. Disponível em: https://congressoemfoco.uol.com.br/governo/ex-aliados-de-bolsonaro-detalham-modus-operandi-do-gabinete-do-odio/. Acessado em: 06.06.2022.

SALLUM JUNIOR, Brasílio. *O Impeachment de Fernando Collor*: Sociologia de uma crise. São Paulo: Editora 34, 2015.

SANTOS, Wanderley Guilherme. *A Democracia impedida*: o Brasil no século XXI. Rio de Janeiro: FGV, 2017.

SCHEPPELE, Kim Lane. "Autocratic legalism". *The University of Chicago Law Review*, vol. 85, 2017.

SCHMITT, Carl. *A crise da democracia parlamentar*. Trad. de Inês Lohbauer. São Paulo: Scritta, 1996.

_____. *Catolicismo romano e forma política*. Prefácio, tradução e notas de Alexandre Franco de Sá. Lisboa: Hugin, 1998.

_____. *La notion du politique & Théorie du partisan*. Traduit de l'allemand par Marie-Louise Steinhauser. Préface de Julian Freund. Paris: Flammarion, 1992.

_____. *O guardião da Constituição*. Belo Horizonte: Del Rey, 2001.

_____. *Teoría de la Constitución*. Trad. de Francisco Ayala. Mexico: Editora Nacional, 1966.

SCHWARTZMAN, Simon. "A crise brasileira e a Constituição". *Simon's Site*, 09 abr. 2017. Disponível em: http://www.schwartzman.org.br/sitesimon/a-crise-brasileira-e-a-constituicao/. Acessado em: 06.06.2022.

SEDGWICK, Mark (Coord.). *Key thinkers of the radical right*: behind the new threat to liberal democracy. Oxford: Oxford University Press, 2019.

SHORES, Nicholas; LAGUNA, Eduardo; GALVÃO, Daniel. "'Como é fácil impor uma ditadura no Brasil', diz Bolsonaro". *Terra*, 11 mar. 2021. Disponível em: https://www.terra.com.br/noticias/brasil/politica/como-e-facil-impor-uma-ditadura-no-brasil-diz-bolsonaro,f3e050c4c116cab263fecadd2e758128v7bl5tad.html. Acessado em: 06.06.2022.

SILVA, José Afonso da. *Curso de Direito Constitucional positivo*. São Paulo: Saraiva, 2009.

SINGER, André. *Os sentidos do lulismo*: reforma gradual e pacto conservador. São Paulo: Companhia das Letras, 2012.

SOUSA, Rodrigo Farias de. *A nova esquerda americana*: de Port Huron aos Weathermen (1960-1969). Rio de Janeiro: FGV, 2009.

SOUZA NETO, Claudio Pereira; SARMENTO, Daniel. *Direito Constitucional*: teoria, história e métodos de trabalho. Belo Horizonte: Fórum, 2012.

STREEK, Wolfgang. *Tempo Comprado*: a crise adiada do capitalismo democrático. São Paulo: Boitempo, 2018.

SZWAKO, José; RATTON, José Luiz (Coord.). *Dicionário dos negacionismos no Brasil*. Recife: CEPE, 2022.

TAGUIEFF, Pierre-André. *La Foire aux Illuminés*: ésoterisme, teorie du complot, extremisme. Paris: Fayard, 2005.

TÁVORA, Juarez. *À guisa de depoimento sobre a revolução brasileira de 1924*. São Paulo: O combate, 1927.

TEITELBAUM, Benjamin. *Guerra pela eternidade*: o retorno do tradicionalismo e a ascensão da direita populista. Trad. de Cíntia Costa. Campinas: Unicamp, 2020.

TEIXEIRA, Mauro Eustáquio Costa. "A democracia fardada: imaginário político e negação do consenso durante a transição brasileira (1979-1988)". *Aedos*, nº 13, vol. 5, ago./dez. 2013.

TRINDADE, Hélgio. *A tentação fascista no Brasil*. Porto Alegre: Editora da UFRGS, 2016.

UOL. "'Aprimora a governança', diz deputado sobre PEC do semipresidencialismo". *UOL política*, 20 jul. 2021. Disponível em: https://noticias.uol.com.br/politica/ultimas-noticias/2021/07/20/aprimora-a-governanca-diz-deputado-sobre-semipresidencialismo.htm. Acessado em: 14.07.2022.

_____. "'O que nós fizemos em 12 anos, a elite não fez em 100', diz Lula no ABC". *Uol Notícias*, São Paulo, 13 nov. 2015. Disponível em: https://noticias.uol.com.br/ultimas-noticias/agencia-estado/2015/11/13/o-que-nos-fizemos-em-12-anos-a-elite-nao-fez-em-100-diz-lula-no-abc.htm. Acessado em: 06.06.2022.

URBINATI, Nadia. *Me the people*: How populism transforms democracy. Nova York: Harvard University Press, 2019.

USTRA, Carlos Alberto Brilhante. *A Verdade sufocada*: a história que a esquerda não quer que o Brasil conheça. Brasília: Ser, 2006.

WEBER, Max. *Economia e Sociedade*. vol. 2. Brasília: Editora UNB, 2012.

WETERMAN, Daniel. "Centrão elabora PEC para anular decisões não unânimes do Supremo". *O Estadão*, 14 jun. 2022. Disponível em: www.estadao.com.br/politica/centrao-prepara-pec-para-reverter-decisoes-nao-unanimes-do-supremo/. Acessado em: 14.07.2022.

YOUTUBE. "Alborghetti fala sobre respeito que tem por Jair Bolsonaro". *Youtube*, 24 mai. 2019. Disponível em: https://www.youtube.com/watch?v=TKB-6-kZ3wE. Acessado em: 15.07.2022.

A Editora Contracorrente se preocupa com todos os detalhes de suas obras! Aos curiosos, informamos que este livro foi impresso no mês de outubro de 2022, em papel Pólen Natural 80g, pela Gráfica Grafilar.